FILOSOFIA PARA CORAJOSOS

LUIZ FELIPE PONDÉ

FILOSOFIA PARA CORAJOSOS

PENSE COM A PRÓPRIA CABEÇA

Planeta

Preparação: Ana Clemente
Revisão: Isabel Jorge Cury e Maria Aiko Nishijima
Diagramação: Vivian Oliveira
Capa: Matheus Valadares

CIP-BRASIL. CATALOGAÇÃO NA PUBLICAÇÃO
SINDICATO NACIONAL DOS EDITORES DE LIVROS, RJ

P524f

Pondé, Luiz Felipe
Filosofia para corajosos / Luiz Felipe Pondé. - 1. ed. - São Paulo : Planeta, 2016.

ISBN 978-85-422-0751-4

1. Filosofia. I. Título.

16-32902 CDD 100
CDU 1

2019
Todos os direitos desta edição reservados à
EDITORA PLANETA DO BRASIL LTDA.
Rua Bela Cintra, 986 – 4º andar
01415-002 – Consolação – São Paulo-SP
www.planetadelivros.com.br
faleconosco@editoraplaneta.com.br

Tal é a tristeza inseparável de toda a vida finita, uma tristeza, porém, que nunca se torna realidade e serve tão só para dar alegria eterna de a superar. Dela vem o véu de pesar que se estende sobre toda a natureza, a melancolia profunda e indestrutível de toda a vida.

Apenas na personalidade há vida; e toda a personalidade se assenta num fundamento sombrio, que, não obstante, tem também de servir de fundamento ao conhecimento.

F. W. J. Schelling, *A essência da liberdade humana*

Para minha neta Amélie

SUMÁRIO

APRESENTAÇÃO

Uma filosofia para corajosos

A intenção primeira deste livro é ajudá-lo a pensar com a sua própria cabeça. Pensar filosoficamente o mundo em que você vive pode ser bom ou ruim. Não há garantias de que você seja mais feliz porque pensa sua vida filosoficamente (existe uma controvérsia enorme sobre se a filosofia nos deixa mais ou menos felizes, mas vamos deixar isso para depois). Portanto, quem promete a você que será mais feliz com a filosofia é um mentiroso que só quer ganhar seu dinheiro. Eu também quero ganhar seu dinheiro, mas dizendo a verdade para você. Ou pelo menos o que eu, a partir de tudo o que já li, leio, escrevo e penso, julgo ser verdade. Se você for capaz de aguentar isso, aqui se inicia uma boa amizade. Se não for, melhor voltar a ler um desses livros vagabundos de autoajuda. Você tem alguém perto de você que compra livros de autoajuda? Coitado.

Este livro é uma espécie de história da filosofia vista pelos meus olhos. Na linguagem do grande filósofo Friedrich Nietzsche (século XIX), pensar com sua própria cabeça ou fazer uma história da filosofia vista pelos seus próprios olhos é "aprender a falar sua própria língua". Fazer isso não é tarefa para covardes. Se você for um covarde, melhor se concentrar em sua alimentação balanceada. Cuidado: recentemente a OMS, Organização Mundial da Saúde, um braço da estatal incompetente que é a ONU, disse que bacon, salame e salsicha dão câncer! Melhor ficar na alface.

É necessário ter coragem para dizer o que se pensa. Para fazer isso, é também necessário conhecer algumas ideias que os filósofos e outros pensadores pensaram antes de nós. Primeiro vou falar com você sobre essa ideia do Nietzsche (de fazer filosofia com sua própria língua), depois vamos discutir alguns dos temas mais importantes da filosofia e ver, quem sabe, como essa discussão pode tornar seu cotidiano, se não mais feliz, pelo menos um pouco menos medíocre, porque a coragem não salvará sua vida, mas pelo menos fará você se sentir mais vivo.

Ainda um pequeno reparo: a citação anterior que faço do filósofo romântico alemão Schelling (século XVIII/XIX) é a síntese do meu espírito filosófico: há uma tristeza no pensamento; essa tristeza é a raiz de toda a personalidade. Esse caráter sombrio da raiz de nossa alma é também o fundamento de todo conhecimento verdadeiro. Como dizia outro romântico, o dinamarquês Soren Kierkegaard (século XIX), todo conhecimento verdadeiro começa com um profundo entristecimento consigo mesmo. Schelling, por sua vez, falou da relação entre tristeza, personalidade forte e conhecimento numa obra à qual ele deu o nome de *A essência da liberdade humana*. Nunca seremos livres, mas a vida com coragem pode ser mais bela. Existem todas as razões do mundo para termos medo, por isso a coragem foi apontada desde a Antiguidade como sendo uma das virtudes essenciais na vida.

Este livro está dividido em três grandes partes. A primeira, chamada "Uma filosofia em primeira pessoa", descreve o meu modo de fazer filosofia. A segunda, chamada "Grandes tópicos da filosofia ao longo do tempo", trata de um repertório básico de temas de que uma pessoa precisa para ser capaz de filosofar com o mínimo de segurança sobre o que pensa. A terceira, e última, chamada "Por que acho o mundo contemporâneo ridículo?", é o fechamento do livro, no qual elenco alguns traços essenciais de por que entendo que vivemos na época mais ridícula da história da humanidade até hoje. Boa leitura.

PARTE I

Uma filosofia em primeira pessoa

CAPÍTULO 1

Quem sou eu que falo com você? Por que me tornei um filósofo

O ano era 1979. Eu era estudante de medicina na época. E assim permaneci por mais alguns anos. Numa aula de imunologia, estudávamos casos hipotéticos de pacientes terminais. Pessoalmente, nunca pensei na morte. Sei que pode parecer estranho para um filósofo, mas assim que é. Terrores metafísicos nunca foram o meu forte. Você sabe o que é terror metafísico? Se não, saberá em instantes. E muitas outras coisas, por isso estou escrevendo este livro. Para mostrar para você que filosofar é algo que se aprende com facilidade. E por que é fácil? Porque a filosofia é uma arte enraizada na experiência concreta da vida das pessoas e não num mundo abstrato do sexo dos anjos. Aprender a filosofar é aprender a sobreviver num mundo em que, em parte, só o *Homo sapiens* habita o mundo das ideias, da imaginação, da linguagem, enfim, um mundo do sentido. Qual outro animal se indaga acerca de seu destino? Da vida e da morte? Do bem e do mal? Existe algum lugar em que essas respostas existam esperando por nós? Platão achava que sim. Nietzsche achava que não. Alguém acima de nós detém essas respostas? Os religiosos acham que sim, os ateus acham que não. Não há certezas. Então, alguns filósofos acham que sim, outros acham que não. Vamos conversar com alguns deles.

Voltando àquele dia na faculdade de medicina e àquela aula sobre pacientes terminais hipotéticos. Perguntei ao meu professor como aqueles pacientes viam o fato de que estavam indo em direção ao nada. O professor fez silêncio por alguns instantes e me disse: "O senhor está na aula errada, deveria estar na aula de filosofia".

Levei alguns anos, e um longo trajeto, para fazer o que meu professor me disse naquela aula. Ele tinha razão. Mas os anos na medicina não foram perdidos de todo. Nem o longo trajeto que fiz entre a medicina até me tornar um filósofo, passando pelo teatro e pela psicanálise. A medicina me ensinou a pensar a realidade como ela é. A filosofia me ensinou a ver a realidade além do que ela parece ser. O teatro é minha paixão recolhida. A psicanálise é, para mim, uma referência absoluta como reflexão profunda acerca do sujeito moderno. Uma das coisas importantes em filosofia, penso, é a gratidão para com todos os que pensaram antes de você, ainda que você discorde deles. O mundo seria um tédio pior ainda se não existissem aqueles com os quais discordo. De certa forma, a filosofia só existe na gratidão para com o pensamento dos outros e na generosidade em doar o seu pensamento para os outros. Sei que a ideia é estranha, mas penso que a filosofia seja o encontro entre a gratidão e a generosidade. Se ela é uma arte do conhecimento, nem por isso a atitude do sujeito do conhecimento deixa de ser moral. Esse era o sentido de Platão dizer em seu diálogo *O banquete* que o que move o filósofo é o amor (Eros) pelo conhecimento, e não por si mesmo.

Muitas vezes pensamos em filósofos como pessoas que viajam na maionese, refletindo sobre coisas que não existem. Isso é mais ou menos verdade. E quando acontece é um problema. Um pouco de cuidado contra esse risco é necessário quando você quer sobreviver no mundo do pensamento. Se depender deste livro, você não correrá esse risco. Vamos pensar sempre margeando a costa do cotidiano, porque esse é o objeto de um manual para o cotidiano.

Pensar para onde vamos depois da morte ou como nos sentimos quando sabemos que vamos morrer levanta, de cara, uma questão, entre tantas outras: por que o susto em saber que vamos morrer quando sabemos o tempo todo que vamos morrer um dia? Talvez porque a certeza da data é que nos causa horror.

A incerteza do quando vamos morrer é a vida normal que temos entre o nascimento e a morte. Como fazemos para não entrar em pânico o tempo todo uma vez que sabemos (lembramos?) que somos mortais? O antropólogo Ernest Becker (século XX) dizia que a capacidade de reprimir o pânico diante da consciência da morte é um ganho evolucionário. Os que não conseguiram lidar com isso desapareceram porque morreram antes de atingir a idade reprodutiva. Mas essa capacidade tem um custo psíquico enorme, por isso ele dialoga com a psicanálise, para entender a dinâmica desse custo. Esse pânico se manifesta de formas variadas na cultura, inclusive nas nossas tentativas de lidar com ele na filosofia, literatura, arte, ciência, religião. E na melancolia, ele se mostra em sua terrível concretude. Não se pode fazer filosofia sem áreas como arte, religião e ciências. E sem uma dose de melancolia. Só almas muito superficiais são alegres o tempo todo. Lembre-se do que discutimos sobre o romântico Schelling anteriormente.

E se não existir vida após a morte, tudo é permitido? E se não existir Deus, tudo é permitido? Essa pergunta foi feita por um grande escritor russo, Fiódor Dostoiésvki (século XIX). Essa pergunta é muito importante porque implica o seguinte: se morro e viro pó e ninguém descobre os absurdos que fiz na vida, e não existe alguém ou algo que me faça pagar pelo que fiz nesta vida "no outro mundo", isso significa que tudo bem matar. Será que a vergonha de fazer algo errado basta para limitar meu comportamento? Acho que não. E você? Mas o fato de, talvez, precisarmos de um "Deus" para garantir a moral e o bem não implica a sua existência, certo? O mais legal da filosofia é você aprender a pensar sem medo das respostas. Talvez Deus não exista e ainda assim continuemos a precisar que Ele exista.

Enfim, questões sem fim. Penso nelas como nosso coro particular de demônios. São infinitos, mas não menos importantes ou urgentes. Não os tinha na cabeça naquele dia na faculdade de medicina. O que eu tinha era um espanto com a ideia de alguém diante da morte. E a filosofia, como dizia o mestre Platão, nasce do espanto. Quem perde o espanto pelas coisas, perde a vida em grande parte. Se mantenho o gosto pela vida, apesar de não ser uma pessoa de temperamento alegre, é porque nunca perdi o espanto pela vida. E o espanto é o irmão gêmeo do encantamento.

Por que me tornei um filósofo? Porque sou movido pelo espanto. A vida sem espanto é burocrática, e tudo que é burocrático compromete a beleza das coisas. E Dostoiévski dizia que a beleza salvará o mundo. Para mim, a filosofia é uma forma de confissão dessa beleza. E quero partilhá-la com você.

Como já disse em outros momentos, superei a angústia de ter um método. Portanto, este livro não tem nenhum método específico, a não ser dividir com você meu espanto ao longo desses anos em que pratico a filosofia como acho que ela deve ser praticada, para além dos muros da universidade – que tem uma função essencial na formação de filósofos profissionais, ninguém se engane acerca disso. Se Descartes (século XVII) estava certo, e ter método é uma confissão de humildade porque só Deus não precisa de um método, então que eu seja condenado por essa pequena arrogância. Ainda assim, prefiro a máxima do russo Dostoiévski, citado antes. Você verá que, muitas vezes, a filosofia é mais bem praticada por artistas e escritores do que por filósofos, principalmente quando estes se tornam burocratas da filosofia, que dedicam a vida inteira a tornar a filosofia uma ferramenta quase inútil. Como alguém que prefere a masturbação a penetrar numa pessoa real.

Repito a máxima de Dostoiévski: "A beleza salvará o mundo". Não acho que seja o método que nos salve da arrogância, mas sim a percepção de que existe uma gigantesca beleza no ato de pensar, um gozo que lhe é específico, e que essa beleza não é uma simples criação minha ou sua. Ela é acessada quando dialogamos com toda uma tradição de pensamento. Portanto, prefiro o gozo filosófico ao método filosófico. Nietzsche e não Descartes. E é isso que vamos fazer ao longo deste livro, que não deixa de ser uma história da filosofia, ou melhor, a minha história da filosofia. Uma filosofia do espanto.

CAPÍTULO 2

Alguns reparos introdutórios antes de ir para o que interessa

Antes de começarmos esse diálogo com a filosofia, são necessários alguns reparos, no mínimo para afastar os chatos. O que é um chato aqui? Alguém que acha que só se pode filosofar em alemão. O alemão é uma língua maravilhosa para construir substantivos precisos, inclusive abstratos, do tipo "nadidade", ou seja, aquilo que faz algo ser "o nada" ou "um nada". Mas, como eu dizia antes, aqui me interessa mais o fato de que todos nós temos um parentesco profundo com o nada do que a nadidade do nada. Risadas? Merecidas. Afinal, falar da nadidade do nada é, aparentemente, uma viagem na maionese. Mas não é. Aqui é desnecessário.

Em filosofia esse "profundo" chama-se ontológico, porque tem a ver com o que é essencial, como o "ser" (onto em grego) das coisas. Viemos do nada e vamos voltar para o nada. Esse é o parentesco profundo com o nada. Filosofa-se muito bem em alemão, mas dizer que só se filosofa em alemão é um exagero, uma afetação de quem nada tem na vida além do fato de que fala alemão. O filósofo russo Nicolau Berdiaev (séculos XIX e XX) dizia que esse nosso parentesco com o nada nos obriga a pensar sempre nele e a enfrentá-lo sem medo. Prefiro pensar o nada assim, como Berdiaev, a ficar pensando na nadidade do nada. Creio que se filosofa melhor com o desespero do que com uma língua específica. Em nosso caso aqui, sempre será em português.

Mas nem tudo são flores, e, de fato, precisamos deixar algumas poucas coisas claras para nos livrarmos dos chatos. Ainda que uma característica dos chatos seja que eles são sempre uma legião. Andam em bando, como a mediocridade.

As palavras, ou os conceitos, são uma ferramenta importante em filosofia. Às vezes, o que um filósofo quer dizer com uma palavra não é o que outro quer dizer com a mesma palavra traduzida para o português (a começar que, muitas vezes, as palavras são traduzidas a partir de línguas diferentes!).

Por exemplo, a palavra "bem" para Santo Agostinho (séculos IV e V), um cristão, não é a mesma coisa que a palavra "bem" para Platão (428-348 a.C.), um grego pagão. Para Agostinho, o bem é Deus e tudo o que Dele emana. Fazemos o bem quando fazemos o que

Ele quer e nos aproximamos Dele. Para Platão, o bem é uma ideia, uma forma imaterial, imóvel, que existe no mundo das ideias (um lugar onde essas ideias perfeitas existem e a partir de onde nosso mundo é feito ou copiado), não pessoal, como o Deus de Agostinho, mas que gera o mundo pela abundância de sua bondade. Em Platão, o bem gera o mundo pela força de sua abundância ou riqueza. Em Agostinho, o bem, Deus, cria pela vontade livre que tem. As ideias não são absolutamente distantes, mas não são iguais. Pudera, Agostinho é um cristão leitor do Velho Testamento hebraico, Platão é um grego ateniense que, a princípio, nunca ouviu falar dos hebreus e seu Deus absoluto, que é uma pessoa ao mesmo tempo. Como vamos enfrentar questões assim? Quando for necessário enfrentá-las, sem usar termos em alemão ou grego. E, apontando, quando for necessário, as diferenças. O que nos protegerá é, no limite, a sinceridade de nosso desejo em usar a filosofia para lidar com o mundo. E enfrentar a vida como ela é.

Outro problema é a questão da história em si. Como colocar Nietzsche e Descartes, um do século XIX, o outro do século XVII, para conversar se duzentos anos os separam? Simplesmente colocando. Perdemos algo nisso? Pode ser, mas não creio que Platão estivesse preocupado com isso quando estabeleceu as bases da filosofia tal como a conhecemos. Interessa-me, aqui, muito mais a fúria de querer entender as coisas e enfrentar o mundo que nos cerca do que ser um bacharel em conceitos puros.

Resumindo a ópera: fazemos filosofia do ponto de vista do usuário, e isso não é "trair" a filosofia, é torná-la relevante. Quando se diz que na Grécia a filosofia tinha muito de terapia da alma, não era outra coisa que se tinha em mente. A filosofia deveria nos ajudar a enfrentar o mundo, a vida e a morte. Claro, se você for se tornar um filósofo profissional, acadêmico, sinto dizer que terá, sim, de conhecer línguas, começando pelo grego de Platão. Mas aqui não é o caso; aqui o caso é aprender a usar a filosofia para que, quem sabe, você levante de manhã menos perdido do que faz quase todo dia. Ou, quem sabe, menos mentiroso sobre si mesmo e sobre o que sente e vê. Ou, quem sabe, entenda melhor o tempo em que vivemos. Enfim, como dizia Nietzsche, fazer filosofia em sua própria língua. Espero que a minha filosofia em minha própria língua ajude você a encontrar a sua. Essa é uma das razões que tenho para escrever livros de filosofia e para ser professor, e este livro é dedicado a essa intenção.

CAPÍTULO 3

Quero ser livre quando penso: filosofia em primeira pessoa como liberdade de pensamento e ação

O que vem a ser fazer filosofia em sua própria língua ou em primeira pessoa? Essa é uma ideia do grande filósofo alemão Friedrich Nietzsche, que viveu no século XIX. Nietzsche era um filósofo romântico, e para entender o que é fazer filosofia em sua própria língua é necessário entender o que foi o Romantismo e como esse Romantismo chega ao pensamento de Nietzsche, e a sua proposta de fazer filosofia em sua própria língua, em vez de fazê-la na língua dos outros.

Vejamos então, para começar, o que é fazer filosofia na língua dos outros – comecemos pelo negativo para depois descobrir o que é o positivo nesse caso. Aqui, língua dos outros não significa língua estrangeira; é mais sofisticado do que isso. Antes de falar sobre o que é a língua dos outros, lembremos do sentimento que move Nietzsche quando ele retorna ao seu trabalho sobre o nascimento da tragédia grega e fala que naquela época, quando escreveu esse trabalho, ainda não era capaz de falar em sua própria língua e, então, foi obrigado a falar na língua dos outros. Nietzsche trata, aqui, da capacidade de falar das coisas a partir de si mesmo e da coragem que isso demanda. O mais fácil é passar a vida falando na língua dos outros. No caso específico de Nietzsche, falar na língua dos outros era dizer o comum, o conhecido sobre a origem da literatura trágica. Fazer "mera" história da literatura trágica grega (é fazer o que se faz até hoje, quase sempre, na vida acadêmica, por isso ela é quase irrelevante). Falar na sua própria língua, para Nietzsche, era assumir sua filosofia trágica, era se reconhecer como um filósofo trágico grego em plena Alemanha do século XIX. Era reconhecer, como os trágicos gregos, que a vida não tem nenhum sentido maior além de enfrentar o conflito que ela é, e, quem sabe, ser lembrado pela coragem e disposição a se elevar acima do banal. E a partir daí falar do mundo e para o mundo. Isso é filosofar com o martelo, como dizia nosso romântico.

Muitas vezes, em filosofia, assumir a própria língua é se reconhecer numa determinada concepção de mundo (no caso de Nietzsche, e do meu, na concepção trágica grega), e assumir seu lugar particular nela. Não se trata de reinventar a roda, mas dizer livremente o que se quer dizer para seus semelhantes acerca do mundo, sempre a partir da tradição de pensamento à qual um pensador se filia. E para fazer isso é essencial que se tenha algum repertório filosófico. E coragem para falar em primeira pessoa. Quem nunca leu nada não tem opinião sólida sobre nada, apenas achismo, uma opinião vazia, como dizia Platão, quando fazia a diferença entre ter opinião (*doxa*) e conhecer algo (*episteme*). Conhecer demanda trabalho, conversar com outras pessoas e ler alguns livros. Na maioria dos casos, conversar com mortos. Uma opinião vazia, qualquer bêbado tem.

Falar a língua dos outros faz parte de um sentimento mais amplo, que é, de certa forma, viver uma vida que não é a sua. Muitas vezes temos a sensação de que estamos vivendo a vida dos outros e não a nossa. Essa sensação aparece quando sentimos que fazemos o que os outros querem e não o que nós queremos. Esses "outros" podem ser o que chamamos de sociedade, pais, família, marido ou mulher, filhos, o mercado, o Estado, "Deus", o mundo. Pouco importa aqui se é o mundo ou a sociedade esse outro; o que importa é a sensação de que não estamos fazendo o que verdadeiramente queremos. E por que não conseguimos fazer o que queremos?

Por mil razões, entre elas porque nunca sabemos ao certo o que queremos. E quem disser que sabe, o diz porque é mentiroso, imaturo ou ignorante. Talvez porque não exista de fato esse "eu verdadeiro" que quer fazer o que ele quer verdadeiramente fazer. Não vou entrar aqui em questões do tipo "esse eu é meu cérebro ou minha alma imortal ou o resultado de herança biológica e social em interação?". Ou "sou uma construção social?". Não porque essas questões não importem; elas importam, mas porque não é isso que quero discutir agora. Enfim, exista ou não esse eu verdadeiro, o sentimento de falsidade consigo mesmo, ou de fazer o que os outros querem que façamos, é a mais pura realidade contemporânea, e fazer filosofia em língua própria passa por ser capaz de romper, de certa forma, com essa sensação, que muitas vezes se apresenta à consciência e ao afeto de quem a tem, como uma espécie de escravidão. A frase que vem à nossa cabeça é "sou um escravo do mundo e não sou livre". A pergunta é: posso escapar disso? Acho que em alguma medida sim. Vamos ver.

Mas antes de verificar essa sensação, que me parece verdadeira, independentemente de ser possível de fato ou não dizer de onde ela vem, existem outros motivos para vivermos uma vida que não sentimos que seja a nossa. Um desses motivos para não conseguirmos viver a nossa própria vida pode ser mais prosaico e banal: não termos grana e sermos obrigados a ser motoboy, e pronto. Ou trabalhar em telemarketing. Está na moda gente bonitinha falar que os mais jovens estão mudando seus valores para com o trabalho. Bobagem: jovens com grana podem, ainda bem, escolher o que fazem. É só isso. E como tudo hoje vira um *statement* (uma afirmação "de valor"), fica bonitinho na fita posar de "nova consciência" na relação com o trabalho. Não existe nova consciência com o trabalho; existe gente que pode escolher o que faz porque tem grana, e existem profissionais que pregam em empresas (e ganham uma puta grana com isso) que há, sim, uma nova consciência para fazer os coitados esmagados pelo cotidiano corporativo acreditarem que conseguirão um dia escolher o próprio trabalho – dificilmente conseguirão. Esses gurus corporativos são uns mercadores de esperança barata.

Vale dizer, você pode ser uma pessoa supercorajosa e mandar tudo para aquele lugar e fazer o que quer, mas é quase certo que o estômago vai falar mais alto, na maioria das pessoas normais. Às vezes, ser normal é ser banal. Mas, se você tiver grana, pode vencer mais facilmente essa escravidão ao estômago.

Voltemos à verdade da sensação de que vivemos uma vida que não é a nossa. Vejamos essa sensação num sentido mais profundo do que apenas a questão da grana. Para fazermos isso, teremos de enfrentar a questão do Romantismo, para além da ideia simplista de que Romantismo significa somente amor romântico.

O Romantismo foi um movimento literário, filosófico e religioso que nasceu na região mais tarde chamada Alemanha, em meados do século XVIII. Esse movimento, apesar de estar associado no imaginário das pessoas à ideia de amor entre um homem e uma mulher, e aos sofrimentos decorrentes desse amor (como no romance de Goethe *Os sofrimentos do jovem Werther*), foi muito mais que isso. Para entendermos o que o Nietzsche tinha na cabeça quando falou sobre a importância de fazer filosofia em primeira pessoa, é necessário sabermos o que foi o Romantismo de fato, porque a afirmação de fazer filosofia em primeira pessoa é uma afirmação romântica. É o que veremos a seguir.

CAPÍTULO 4

Romantismo como revolta contra a vida roubada: o mal-estar com a modernidade

O que é Romantismo, afinal? Como eu já disse, foi um movimento literário e filosófico que nasceu na Alemanha em meados do século XVIII e varreu a Europa e as Américas. O Romantismo é um grande lamento com a modernização e seus efeitos indesejáveis. Quais efeitos são esses?

A forma mais fácil de descrever esse sentimento é lembrarmos quando nos sentimos um mero número numa cadeia produtiva, ou quando nos sentimos uma peça genérica nessa mesma cadeia. Já sentiu isso? Se não, é porque você é um daqueles privilegiados, como eu, que trabalham, a maior parte do tempo, em algo criativo e que faz sentido para você. A maioria só ganha dinheiro para sobreviver. Ganhar dinheiro também pode ser uma atividade criativa, mas não é esse o caso para a maioria das pessoas.

O mundo moderno burguês em que vivemos é um lugar pautado pela lógica da eficácia em que todo mundo é medido pelo seu valor "instrumental", ou dito de outra forma, pelo seu valor "de uso". Você vale pelo que faz funcionar neste mundo. Idosos hoje não valem nada, apesar de dizerem o contrário. Ficam brincando com computadores e Facebook para parecer parte deste mundo. Claro, os idosos com grana têm seu lugar na cadeia de consumidores de bens de valor. Antes, quando os idosos eram raros, valiam mais; hoje, que são muitos, seu valor está inflacionado, além do fato de que, com o avanço das tecnologias de informação, que eles desconhecem em grande parte, os idosos deixaram de narrar a vida, como dizia o filósofo alemão Walter Benjamin (século XX). Narrar a vida significa ajudar os mais jovens a compreender a vida deles a partir da experiência acumulada das gerações. Mas hoje geração é coisa da publicidade e suas letras: X, Y e Z. O resultado é que os idosos, na melhor das hipóteses, acabaram virando um "mercado de serviços para idosos", e estão à margem da sociedade produtiva. Sorte de quem ganha com isso.

Ficou chocado com o que eu disse acima? Sinto muito. É meio feio mesmo, mas o que fiz foi uma análise instrumental do idoso em nosso mundo contemporâneo. Uma análise como essa desnuda o que uma pessoa "vale" para a cadeia produtiva de bens, e um idoso, na maioria dos casos, não vale nada. Imagino que diante disso você erguerá a voz, quase tremendo, dizendo que sua avó é fundamental para você. Sei que você ama sua avó, mas a maioria de nós está perdida entre as obrigações de sobrevivência e a culpa por reconhecer, às vezes com dor, às vezes com menos dor, que a avó ficou para trás.

Outro exemplo fácil disso é a desvalorização da maternidade. Ser mãe não paga salário; logo, pouco vale. Não é à toa que as mulheres emancipadas não querem ser mães de muitos filhos porque preferem ter uma inserção maior na cadeia produtiva de bens.

O fato mais profundo dessa questão das mães é que, apesar da importância da geração de filhos, a sensação de que a maternidade pode ser vista como improdutiva (ainda que as mulheres não confessem esse fato escondido) é ainda muito dolorida para mulheres emancipadas. A sociedade contemporânea avança à medida que ela abre espaço e amplia a vida na sua dimensão de instrumento de produção de bens e serviços. Tem um lado bom nisso, que são os ganhos em enriquecimento da vida material para a maioria das pessoas. O mundo nunca foi tão rico como desde o século XVIII. Mas tudo tem um lado sombrio. É nesse lado sombrio que estão o Romantismo e o sentimento de que não podemos pensar na nossa própria língua: porque nossa língua pode complicar nossa vida na cadeia "oficial" de produção de bens. Posso não servir para nada sendo quem eu sou ou falando o que quero falar. Essa cadeia produtiva pode ser uma empresa ou uma universidade, mesmo que esta última seja o lugar contemporâneo por excelência da produção quase irrelevante. Ou pode ser sua família. Famílias modernas toleram pouco elementos improdutivos que funcionam como mala sem rodinhas no cotidiano.

Sendo assim, a vida encaixada na sociedade instrumental tem suas vantagens e desvantagens. Uma das vantagens é o próprio sentimento de que você é um ser produtivo cheio de possibilidades na vida. Uma das desvantagens é a sensação de que algo nos é roubado à medida que pensamos só no sucesso material e esquecemos que algo de nós "não pensa com eficácia" o tempo todo e, se o fizer, enlouquecemos. Preste atenção na seguinte situação que serve como sinopse para o drama romântico diante da sociedade do sucesso e da eficácia em que todos vivemos – menos os desgraçados em geral.

Imagine que você tenha chegado aos cinquenta anos muito bem de vida. Que você tenha saúde, sexo à vontade, grana e uma puta casa. Agora imagine que você acorda no meio da madrugada depois de um pesadelo e se debate na cama. Olha ao redor e está só, porque vive só. Suas opções ao longo dos anos foram sempre em favor das garantias profissionais. Isso "pagou bem", mas, às vezes, como agora, às três da manhã, você se sente miseravelmente só. Tem filhos, mas nunca os vê porque eles também estão ocupados com a vida deles. O espectro da solidão do velho o atormenta. O corpo, já não tão jovem, começa a dar sinais, mostrando que ele é seu dono e não você o dono dele. Você se levanta, anda pela enorme casa vazia e se pergunta: o que eu fiz da minha vida? Onde estão meus vínculos afetivos duradouros? Será que você os dissolveu no sucesso profissional e no desejo narcísico de só pensar em si mesmo?

Lamento dizer, mas você está em meio à crise romântica quando algo assim lhe acontece. Isso pode despontar em meio ao trânsito ou em meio a um feriadão. Pelo menos, saiba que você não está sozinho nessa miséria moderna.

Esse é o mal-estar com a modernidade que caracteriza o Romantismo. Bem-vindo à sua casa.

A vida roubada é aquilo que você projeta como sendo tudo o que perdeu quando estava ocupado sendo objetivo e eficaz. Mas não adianta pôr a culpa nos outros; você bem que teve alguns gozos nesse processo. Confesse como gozou enquanto melhorava de vida. Não faça como esses mimados que reclamam de tudo. Assuma seu papel. Ainda assim, o sentimento de mal-estar é verdadeiro: você não é um mentiroso porque se sente dividido entre a felicidade com o sucesso moderno e o sentimento de que algo se perdeu nisso. A pergunta que fica é: como enfrentar esse mal-estar?

Podemos fazer algo para que, estando em meio a tudo isso, consigamos resgatar alguma porção daquilo que parece perdido e que é nosso?

Penso que em alguma medida sim, podemos, e os capítulos restantes deste livro são dedicados a essa ideia. Falar em sua própria língua é, antes de tudo, ter coragem de enfrentar os problemas que a filosofia nos traz, sem medo de sermos obrigados a pensar em coisas de que não gostamos. É desistir de agradar quando se pensa. É ser (quase) indiferente a quem tem qualquer expectativa sobre quem você é e o que você pensa. É pensar sem querer construir "um mundo melhor". É pensar de modo "extramoral", como dizia Nietzsche. É não querer "fazer o bem" enquanto pensamos. Em síntese, é pensar acompanhado pelo que chamo de nosso coro particular de demônios, e por isso vamos começar por eles. O mal-estar que isso pode trazer é parte do processo, sinto muito.

PARTE II

Grandes tópicos da filosofia ao longo do tempo

CAPÍTULO 5

Nosso coro particular de demônios

O que é um coro particular de demônios? É uma metáfora para falar de certas coisas que nos atormentam há milênios e a cada dia de nosso cotidiano. A filosofia, em sua origem grega, surge para "concorrer" com as religiões e seus mitos na tentativa de responder a esse coro de demônios. Religiões e mitos existem, entre outras coisas, para explicar esse coro de demônios. Você pode me perguntar por que, afinal, eu uso essa metáfora coro de demônios aqui. Vou explicar.

A ideia de coro de demônios vem do cristianismo antigo, quando os monges iam para o deserto (séculos II, III, IV) e buscavam enfrentar todos os tipos de tentação. Essas tentações, em geral associadas a mulheres, riquezas e poder, vinham como visões e vozes batizadas de coro de demônios. Ao usar essa metáfora, quero trazer para a nossa conversa seu sentido de ansiedade e risco. Existem questões que nos atormentam, e a história da filosofia é um elenco dessas questões. Somam-se a essas perguntas as respostas que muitos filósofos e afins produziram ao longo da vida.

Este capítulo é uma tentativa de elencar algumas delas e algumas de suas respostas, sem buscar esgotar nenhuma. Lembre sempre que não tenho nenhuma intenção de resolver todas as questões filosóficas neste manual; só gente chata tem intenções como essa. Nos demais capítulos, mais temáticos, seguindo grandes áreas da filosofia, acabarei retomando alguns desses demônios. Neste capítulo, minha intenção é deixar você um pouco atormentado com esse coro infernal. Veja-o como uma espécie de "aquecimento" para o que vem depois. Vamos lá. Proponho dez pequenos demônios para aquecer sua filosofia em língua própria. Só vale a pena filosofar sobre o que nos tira o sono. Abaixo, mando dez perguntas para gente corajosa que detesta autoajuda.

1. O que estamos fazendo aqui no mundo?

Ninguém tem a mínima ideia. Os mais religiosos e metafísicos, que acreditam em um mundo além da matéria, gente como Platão (que viveu entre os séculos

IV e V antes de Cristo), Santo Agostinho (que viveu entre os séculos IV e V depois de Cristo) e, talvez, sua avó, entendem que Deus ou algo similar sustenta tudo o que existe, e, portanto, tem uma resposta. Para essas pessoas, estamos aqui porque esses seres superiores e divinos têm alguma forma de plano ou projeto para nós e para o mundo. Claro, nós que estamos presos nesse cotidiano, às vezes, infernal, temos dificuldade de entender qual seria esse plano maravilhoso, mas aqueles que têm fé entendem que tudo dará certo no final.

Existem outros metafísicos (gente que crê neste mundo imaterial de alguma forma divino) que são mais estranhos. Gnósticos ou maniqueístas (gente que viveu entre os séculos II e V depois de Cristo), cristãos bem esquisitos, acreditavam que o mundo foi criado por um deus mau e por isso nossa vida é um sofrimento interminável. Uma das provas de que esse deus criador era mau para essa gente é que os seres vivos têm de comer uns aos outros para viver; portanto, a moeda desse deus mau (chamado por muitos de demiurgo, que nada tinha a ver com Jesus, que veio aqui nos avisar da fria em que estamos) é nossa dor, nosso desejo e nossa agonia. Essa metafísica do mal não ajuda muito a responder por que estamos no mundo, a não ser que a resposta seja perversa (Sade, no século XVIII, também pensava assim) e cruel.

Já para filósofos como Nietzsche, Sartre e Camus, estes dois últimos do século XX, entre outros antimetafísicos, e para gente que só "crê" na ciência, nada nos criou, e, portanto, estamos aqui para nada. Gente assim presume que estamos aqui porque nosso pai gozou na nossa mãe. Já para os metafísicos, nosso pai gozou na nossa mãe por alguma razão superior à vontade de eles transarem. Espíritas em geral estão no grupo que acredita haver uma razão maior para a gozada do nosso pai. Sei que soa estranho fazer filosofia em cima de um orgasmo, mas, se você quiser pensar filosoficamente para valer, tem de ser capaz de olhar coisas óbvias como estando carregadas de um significado que nos escapa à primeira vista. Isso é que é pensar "fora do senso comum", como se diz em filosofia.

Pensar no por que estamos aqui nos leva a pensar nas consequências da resposta que damos a essa pergunta. Por exemplo, se penso como um metafísico normal (não como os gnósticos pessimistas), olho para o sofrimento como algo a ser explicado pela vontade de um deus bom e seu projeto. Se penso como os metafísicos pessimistas, olho para o sofrimento como algo que prova que Deus é mau. Se penso como os materialistas antimetafísicos que não creem em nada divino, olho para o sofrimento como algo que não tem uma explicação maior. Essa posição é rara na humanidade e é vista como trágica porque implica que nossa vida não tem um sentido maior. No mundo moderno, ela é um pouco mais comum devido ao avanço da ciência, mas ainda assim é mais rara porque parece ser muito dolorida.

2. Existe vida após a morte?

Eu acho que não, mas não há como ter certeza. O tema, para alguns, é de vida ou morte. Afora a ironia, essa é uma questão que atormenta muitos porque para eles, se não existir vida após a morte, não há por que respeitar a moral, uma vez que morreu, acabou. Logo, tudo é permitido. Por outro lado, se existir vida após a morte, pensam eles, podemos ser julgados por Deus ou reencarnar numa situação muito ruim, por causa das maldades que fizemos nesta vida. Normalmente, quem crê em vida após a morte o faz como forma de alívio da angústia da aniquilação absoluta que a morte parece significar.

Eu gostaria de apresentar duas possibilidades sobre o assunto que podem parecer pouco comuns. A primeira é que pode haver, sim, vida após a morte e ser péssima. Ninguém pensa nessa possibilidade. E não porque você se matou, como no kardecismo, e, portanto, viverá num limbo de almas penadas suicidas, mas sim porque a vida eterna será como uma prisão da qual nem morrendo você escapa, nem se matando – claro, você já morreu e não pode morrer de novo! Dependendo do que você terá de fazer lá ou com quem conviverá, a vida eterna pode ser uma agonia sem fim. Nunca entendi por que as pessoas pensam que viver uma vida eterna é sempre uma boa ideia. Perguntem aos vampiros.

Outra possibilidade em que os amantes da vida eterna não pensam, é que a morte pode ser uma libertação da consciência. O repouso no pó, como pensam autores do tipo Emil Cioran e Philip Roth, ambos do século XX, pode ser um descanso da consciência, não? Uma espécie de redenção pela inconsciência na pedra. Algumas formas de espiritualidade oriental arriscam algo nessa linha, atingível em processos meditativos que ampliam nossa consciência da efemeridade de tudo o que existe à nossa volta.

Mas a maioria de nós não considera isso uma boa ideia porque teme a aniquilação absoluta. Entendo: somos seres desesperados mesmo.

3. Se Deus não existir, tudo é permitido?

Decorrente da questão levantada acima, podemos levantar esta: se Deus não existe, tudo é permitido? Essa pergunta famosa foi feita pelo personagem Ivan Karamázov, no romance *Os irmãos Karamázov*, de Fiódor Dostoiévski, no século XIX. Essa questão decorre da anterior porque a inexistência de Deus supõe que, uma vez tendo escapado da lei dos homens, uma pessoa estará segura de que não enfrentará nenhum outro juiz absoluto no pós-morte. Por isso, a imortalidade da alma associada à existência de Deus (ou algo similar) nos levaria à sustentação de um julgamento moral eterno.

Nem todo mundo aceita que se Deus não existir, tudo seja permitido, porque entende que somos seres morais além de sujeitos à lei. Haveria em nós a capacidade de introjetar normas que nos tornariam portadores de uma consciência moral. Isso dependeria dos valores familiares e sociais. Outros vão mais longe e afirmam que pessoas que precisam de um Deus para segurar seus impulsos imorais ou violentos são na verdade idiotas morais, porque não são capazes de atingir a maioridade moral, produto de uma vida racional e organizada. Gente como Immanuel Kant (século XVIII), pensava assim, ainda que ele não fosse ateu. Seculares e ateus de todos os tipos pensam assim, muitas vezes.

Concordo, em grande medida, que pessoas não crentes podem ter comportamentos morais construtivos, inclusive pelo medo e pela vergonha de não tê-los. Não acho que "valores racionais" nos impeçam de agir de modo imoral mais do que a vergonha e o medo. Aposto mais neles do que na razão. Não concordo com Kant nessa. E também penso que religiosos de todos os matizes podem agir de modo imoral, inclusive, muitas vezes, porque creem em alguma forma agressiva de teologia, como nos casos dos terroristas islâmicos. Portanto, apesar de reconhecer que as religiões têm alguma prevalência em comportamentos morais, entendo que isso acontece mais por causa da pressão que o grupo religioso tem sobre o indivíduo do que pelo fato de a religião "fazer de nós pessoas melhores". Já se matou muito em nome de Jesus, que parece ser um cara legal.

Penso que a psicologia comportamental da moral ainda está engatinhando e que muito do que falamos sobre nós mesmos, em termos de moral, é mais fruto da busca de uma autopercepção positiva do que de uma verdadeira "beleza" moral que seria nossa característica como seres humanos. Gostamos de pensar em nós mesmos como caras legais e temos dificuldade de nos avaliarmos moralmente, como indivíduos e como espécie. Por outro lado, uma autoavaliação negativa individual ou coletiva pode ser fruto de alguma concepção bastante pessimista quanto a si mesmo ou quanto à humanidade, e então dizemos que somos "maus" ainda que isso não possa ser "provado cientificamente". Tudo bem que gostamos de matar, e matar é visto como um ato imoral. Mas matar pode ser importante e necessário em algumas situações (ainda que Jesus não aprove); o darwinismo me daria razão aqui.

Entretanto, a pergunta de Dostoiévski não é se pessoas crentes ou não crentes são mais ou menos morais (se não mais ou menos "boas" ou "ruins"). Essa questão seria, de alguma forma, menor para Dostoiévski. Sua pergunta é mais profunda. Se Deus não existe, tudo é permitido significa que se você for bom na vida e sair perdendo, na soma total do cosmos, você fez uma má escolha, porque se você fosse mau, não faria nenhuma diferença no final das contas, já que não haveria fundamento absoluto para o bem. Essa pergunta é uma pergunta niilista, ou seja, o personagem que a faz, Ivan Karamázov, é também o que arquiteta a morte do pai no romance *Os irmãos Karamázov*; portanto, é o mesmo que prega o credo segundo o qual não existe na vida mais do que átomos – logo, estamos sozinhos nesse enorme buraco que é o universo.

Estamos, aqui, dialogando com o "demônio" do niilismo e sua negação de qualquer sentido maior para as coisas, além do que nós inventamos. Seríamos capazes de produzir sentido por nós mesmos, assim como podemos construir pontes? Essa pergunta é infernal, mas a deixemos para depois. É uma das perguntas mais recorrentes no mundo moderno, ainda que no silêncio e na solidão de uma noite insone. Eu, pessoalmente, acho que Dostoiévski tem razão, embora não partilhe de sua fé em Deus. Portanto, suspeito que haja algo de niilista em mim. E em você?

4. Existe evolução moral na humanidade?

Eu acho que não. Mas a pergunta é controversa e posso estar errado. Antes de tudo, porque não dá para ter certeza de fato. Não há como colocar a humanidade num laboratório de análise de comportamento. Não dá para fazer isso com um só homem, quanto mais com a humanidade. Mas, mesmo sem certeza – o bom é sustentar uma posição sem certeza alguma, aliás, como o fazemos cada vez que respondemos para nossos filhos coisas como "vale a pena ser honesto na vida? –, acho que não há evolução moral da humanidade e vou dizer o porquê disso.

Creio que existe, sim, uma evolução técnica na humanidade e isso, às vezes, ajuda o homem a se compor melhor com seus semelhantes, e, às vezes, ajuda o homem a destruir seus semelhantes com mais eficácia – acho que seria desnecessário discutir a obviedade desse fato aqui, não? Um detalhe interessante de observar é que sociedades que se desenvolvem em comércio e técnica tendem a ficar relativistas e a acomodar visões morais contraditórias como "tudo bem o deus que você adora, contanto que pague a fatura do cartão Visa, ok?". Gente que viaja muito fica mais relativista pelo cosmopolitismo, que é a consequência normal de quem viaja muito. Mas o que é "relativismo"? Relativismo é suspeitar que não sabemos ao certo o que seja certo e errado, e, portanto, tenhamos dificuldade em dizer com certeza se estamos "indo na direção moral certa". Para dizer que existe evolução moral na humanidade seria necessário termos um critério absoluto, universal e seguro do que é certo e do que é errado. E isso não existe. Chegamos a pensar, pessoas seculares e não religiosas como nós, assim como é a maioria de quem escreve, pensa e publica no mundo, que quem supõe a existência de tal critério seja um fanático religioso.

Mas alguém pode dizer que a evolução na humanidade seja chegar a essa sociedade da "liberdade de escolha" que o Ocidente produziu. Ao mesmo tempo, alguns chatos gritarão que o capital destrói tudo, e que essa liberdade de escolha é falsa. A esses coitados, desejamos a Coreia do Norte como endereço. Um argumento mais sério é que essa riqueza que sustenta nossas sociedades liberais de mercado esteja a fazer de todos nós uns mimadinhos e frouxos, incapazes de sustentar vínculos mais longos do que a de um consumidor com o iFood. Incapazes de ter filhos (os índices de fertilidade das sociedades ricas despencam a cada dia), supondo que não ter filhos seja essencial para usufruir uma vida melhor (e, pior, esse argumento pode ser forte na verdade), caminhamos, paulatinamente, para o estouro da previdência e o envelhecimento mórbido da humanidade. Onde está a evolução moral aí? Ainda que bobinhos achem que avançamos porque eles juram fidelidade à rúcula e juram amor às chinchilas, a conclusão é que não é possível deduzir evolução moral de uma coisa que nós, inclusive eu, consideramos moralmente boa, como a liberdade individual das sociedades liberais de mercado. Nossa liberdade pode vir a ser nosso destino fatal, afogados em luxos e direitos de gente covarde e mimada.

5. Dinheiro compra amor verdadeiro?

Como todos sabem (ou deviam saber), essa pergunta é baseada na afirmação do dramaturgo e jornalista Nelson Rodrigues: "Dinheiro compra tudo, até amor verdadeiro".

Experimente fazer essa pergunta num jantar inteligente com seus amigos psicanalistas, jornalistas e arquitetos, todos muito inteligentes. O grau de hipocrisia deles será proporcional ao modo enfático como negarão essa máxima rodriguiana. Nelson Rodrigues é um dos pensadores brasileiros mais consistentes e verdadeiros. Gente inteligente e bem resolvida costuma torcer o bico para essa pergunta, demonstrando que é movida a valores superiores à grana. Nunca confie em gente que afirma ser guiada por valores maiores que dinheiro. Quem diz que faz as coisas por algo maior do que grana é quem pensa só na grana, pode apostar. Nunca confie na bondade dos bons.

Deixando de lado os chatos e hipócritas, pensemos no assunto a sério. Dizer que dinheiro compra até amor verdadeiro quer dizer que as condições materiais de uma determinada situação podem gerar certos afetos profundos numa pessoa. O exemplo que sempre dou é: um fim de semana na Toscana ou na Praia Grande? Se você disser que tanto faz, mando você para aquele jantar inteligente com psicanalistas, jornalistas e arquitetos mentirosos. O medo de pensar nisso é temer que serei "materialista demais" e confessar que tenho um preço. Todo mundo tem um preço, menos os que não valem nada. Talvez você seja um materialista, mas não por isso. O amor demanda condições para respirar, assim como tudo o mais que é vivo. Posso me sentir um filho da puta porque penso assim, mas eu diria que a vida é que é filha da puta por depender da lei da gravidade e da lei de mercado. Confesso, então, que acho que dinheiro compra amor verdadeiro. Esse dinheiro pode ser meu, e, por eu ter condições materiais de vida, "compro" o amor da mulher que quero que me ame, e compro o meu próprio amor por ela, uma vez que tendo dinheiro me sinto melhor com as condições de vida que produzo para nós dois. Quando digo "compro o amor da mulher que quero que me ame", eu não quero dizer que faço dela uma garota de programa (que, aliás, são as mulheres mais baratas do mundo, mesmo quando custam 10 mil reais a noite!), mas sim que com melhores condições de vida, nós dois nos sentimos melhor porque podemos desenvolver mais nossas potencialidades, só isso. Isso é muito, se levarmos em conta a precariedade que ronda a vida. E não estou falando da precariedade da condição humana de que falava antes, falo da precariedade "banal" da vida. Se o dinheiro acaba, a beleza da vida se vai, porque a pobreza tudo destrói.

Acho que as meninas são mais desafiadas pelo tema. E digo a razão. No caso das mulheres, penso, a situação é mais fácil de acontecer e talvez elas sejam mais levadas a mentir sobre o assunto. Já caras que "são levados" para a Toscana são poucos. No caso deles, quem não se sentir mal por "pegar dinheiro de mulher" (como dizia meu mestre Nelson) é mau-caráter mesmo. No caso delas, "ser levada para a Toscana" pode ser símbolo de investimento afetivo. No caso do cara, "ser levado para a Toscana" é símbolo de fracasso para ambos. Vida dura essa, não? As feministas, que não entendem nada de mulher nem de homem, não entenderiam essa frase "símbolo de fracasso para ambos". Para ele, porque fracassou em "bancar" uma mulher; para ela, porque fracassou em ter um homem "capaz de bancá-la", se ela assim o quiser. A vida é dura e sem misericórdia.

Portanto, essa frase fala de nossa dependência material profunda. Mas não acho que devemos nos envergonhar disso. Devemos nos envergonhar de quem mente sobre isso.

6. A democracia é uma boa mesmo ou é um regime que junta quantidades enormes de idiotas e as joga sobre você?

Falar da democracia é difícil porque ela é o grande dogma contemporâneo. Criticá-la parece dizer que você é do mal. Bobagem. A democracia, entre os piores regimes, é o menos pior. Em mil anos, a democracia terá passado como um vento, e nossa fé nela também. Verão nossa fé na democracia como a fé dos antigos em seus reis como deuses.

Dito isso, voltemos ao problema. A democracia tem a vantagem de funcionar a partir da teoria do poder limitado – que, em si, é muito mais importante do que a ideia do voto individual. Poder limitado, ideia criada pelo filósofo Montesquieu, que viveu entre os séculos XVII e XVIII na França, significa que nada, nem ninguém, nem instituição alguma deve ter o poder total ou absoluto sobre as pessoas daquele país. E por que não deve ter? Porque não somos de confiança.

Esse poder limitado é importante na democracia moderna e se caracteriza pela ideia liberal de que nenhum soberano o é plenamente. Todo mundo adora a coisa do voto individual. Claro, ele é importante na medida em que é um critério para decidir aqueles que comporão as instituições, que limitam uma à outra no poder que todas têm, em parte. Assim sendo, o voto pulveriza na população a decisão de quem participa da máquina do poder. E aqui vem a minha pergunta infernal: será que o voto individual não dá poder aos idiotas, na medida em que os idiotas são sempre maioria? Claro que dá. A resposta é: sim, a democracia é um sistema que joga sobre nós grandes quantidades de idiotas que decidem por nós. Numa democracia nunca venceremos a maioria, de idiotas. Essa ideia é de Nelson Rodrigues, em suas profundas reflexões políticas, distante das obviedades que o dogma democrático nos impõe.

A vida é paradoxal e não faz nenhum sentido total (vou repetir isso várias vezes para você ter em mente como a ideia central neste livro para corajosos). Somos vítimas do enorme número de idiotas que existem no mundo; ruim com eles, pior sem eles. A ideia de pulverizar as decisões sobre quem deve mandar, mais a ideia de dividir aqueles que vão mandar, é o melhor que conseguimos para lidar com esse enorme problema que é "quem manda e quem obedece". Ao mesmo tempo que a democracia é "linda" na divisão do processo do poder, ela é terrível em suas quantidades de idiotas. Lembre que é possível existir poder limitado sem voto, o que, aliás, era a ideia de Montesquieu, que jamais poderia conceber o poder fora das mãos de quem sempre teve poder, a aristocracia. Ele imaginava uma aristocracia dividida entre si no exercício do poder.

Portanto, respondo, de novo, à questão que coloquei anteriormente: a democracia joga sobre nós quantidades enormes de idiotas, que nos assolam com suas ideias cozidas na ignorância das coisas. Quem sabe, essa mesma ignorância nos proteja da "sabedoria dos melhores", que nem sempre é tão sábia assim. Mas isso é conversa para outra hora.

7. Mulher gosta de homem fraco e pobre?

Esta questão está próxima daquela outra sobre dinheiro comprar ou não amor verdadeiro. Esta, porém, toca mais as meninas. A resposta para ela é: não, as meninas não gostam de homens fracos e pobres. "Fracos e pobres", aqui, devem ser compreendidos num sentido maior que apenas um papo sobre dinheiro e força física, apesar de dinheiro e força física significarem muita coisa.

As meninas não suportam fraquezas nos homens. Eu sei, e você também sabe, que esse assunto, mulher, é um dos temas sobre os quais mais se mente nas últimas décadas. Alimentados pela justa necessidade de combater coisas ruins como homens que batem em mulheres ou recusa de mulheres em postos profissionais por puro e simples preconceito, acabamos por eliminar do universo de argumentos fatos óbvios como este: mulheres detestam homem fracos. Nunca se enganem com isso, meninos e meninas mais jovens, vocês que são as maiores vítimas das "mentiras de gênero" que abundam pelo mundo dos inteligentinhos.

As teorias sobre o porquê de as mulheres serem assim deitam raízes do evolucionismo. Sei que nem todo mundo concorda com teorias de comportamento com raiz no evolucionismo, mas essa discordância só as torna mais interessantes. Vamos a elas.

A ideia básica é que ao longo do tempo mulheres que não eram seletivas no sexo se deram mal; logo, os genes das que se deram bem se adaptaram e foram passados à sua prole feminina. Darwinistas costumam dizer que mulheres cruzam olhando para cima enquanto homens cruzam olhando para baixo. Afora a metáfora puramente física (homens são em geral mais altos que mulheres, o que não impede que algumas poucas sejam mais altas que seus parceiros – alguns caras têm até taras com mulheres mais altas –, o que também serve como exceção para os comportamentos que fogem à regra da maioria), a ideia é que as mulheres de nossa espécie ao longo do tempo perceberam que o alto ônus do sexo para elas deveria ser objeto de um "cálculo utilitário": um macho deveria valer a pena e não só o orgasmo! Um macho que vale a pena seria aquele que estaria ao lado dela na lida com a prole e na hora do parto, grosso modo. De lá para cá, mesmo com a emancipação feminina, as meninas continuam preferindo (não acho que isso seja alguma forma de ser "interesseira") homens que não sejam covardes e incapazes. Ainda que elas não precisem de grana, não suportam homens fracos e pobres de espírito e de corpo. Se para o homem sempre foi um inferno ser fraco e pobre, hoje em dia é muito difícil para muitos deles, sobretudo os mais jovens, lidar com demandas femininas "invisíveis", que não são facilmente traduzíveis em prover bens materiais apenas. Precisaremos de mais alguns séculos (caso uma crise do capitalismo não nos leve de volta ao mundo em que as mulheres cuidam da prole e os homens caçam, matam e morrem) para que homens e mulheres consigam se adaptar às novas demandas femininas: a força e a riqueza agora podem ter se tornado mais sofisticadas.

8. Vale a pena ser honesto?

Será? Minha tendência é achar que não. E não quero soar niilista. Se este pequeno manual não fosse escrito para os bravos, eu diria que sim, a honestidade paga bem na vida. Mas não escrevo este livro para acomodar o pânico da classe média. Escrevo para quem deseja falar sua própria língua em filosofia, e o primeiro passo é não ter medo do que pensamos em silêncio, apesar de termos medo de dizer em voz alta.

Não, talvez a honestidade não leve você a lugar nenhum. Sem dúvida, precisamos acreditar em algumas virtudes, do contrário a vida pode se tornar um inferno maior do que já é. Entretanto, vemos por toda parte que pessoas honestas nem sempre se dão bem. Para começo de conversa, podemos suspeitar que a honestidade seja falsa ou fruto de falta de oportunidade de agirmos de outra forma. Para piorar, a verdadeira virtude é silenciosa e não faz marketing de si mesma, o que em nosso mundo, dominado pelo marketing, fica difícil de ser sustentado. O mundo contemporâneo é tagarela por natureza.

Se você tem um filho e diz para ele que a honestidade não vale a pena, você pode dar a ele um sentimento muito negativo de que na vida ele pode fazer o que quiser. Por outro lado, se você negar para ele que muitas vezes a honestidade não adianta para nada, você pode dar a ele uma visão de mundo infantil e ingênua.

A honestidade pode ser entendida como dizer sempre a verdade, não puxar o tapete de ninguém, e valorizar mais o que as pessoas são do que valorizar o que elas têm. Será que existe um "ser" das pessoas independente do que elas "têm"? Não tenho tanta certeza assim. No âmbito da confiança que uma criança precisa ter no mundo e nas pessoas para crescer saudável, eu diria que sim, é necessário ser honesto. Mas aqui o foco não é o que você "ganhará", mas sim que você dará a seu filho a possibilidade de confiar minimamente no mundo, e, com isso, viver nele, sem ser muito infeliz. Não diria com certeza que a honestidade vale a pena, mas sem esperança a vida é intragável.

9. O que é melhor: um filho ou um cachorro?

A pergunta parece absurda, mas é muito contemporânea. O número de crianças cai no mundo rico e o número de cachorros sobe. No Brasil, país em que as mulheres ainda não atingiram a infertilidade dos países mais ricos, já temos mais cachorros do que crianças nas famílias. De onde vem isso?

Claro que filhos são mais caros, duram muito e nunca fazem o que queremos, e quando o fazem, o fazem porque não têm vida. Também é verdade que filhos são seres muito mais profundos em afetos do que cachorros. E afetos profundos são sempre mais difíceis de lidar. E cachorros "sempre" nos amam.

O motivo de eu achar cachorros melhores que filhos é o narcisismo contemporâneo. Cada vez mais as pessoas se tornam narcisistas e julgam os vínculos sólidos caros e pesados. Amar os animais – independentemente de eles serem amáveis – é um atestado de vida fácil; por isso, tanta gente chora por coelhinhos e babam em favor do aborto.

Falar disso é tocar numa chaga contemporânea: a dificuldade de confiar no mundo.

10. Ter conhecimento faz de você uma pessoa melhor?

Essa é fácil de responder: não. Quem diz o contrário é mentiroso ou ignorante. Eu não sou nenhum dos dois. Mentir, só sobre coisas essenciais de vida ou morte. Confessar que o conhecimento não faz de você uma pessoa melhor é um atestado de repertório e de confiança no próprio conhecimento.

Dito isso, tendo percorrido esse pequeno coro de demônios, uma pequena oferenda ao seu desejo de pensar filosoficamente a sério sobre as coisas, vamos partir para nossa viagem por algumas das áreas mais importantes da filosofia. Não espere de mim qualquer piedade.

CAPÍTULO 6

Religião e espiritualidade

Você é religioso? Se for, o é por alguma carência séria em você, diriam Freud, Marx e Nietzsche. De certa forma, somos todos carentes porque somos mortais, limitados, assustados e frágeis psicológica e fisicamente. A carência à qual se referem os homens de conhecimento citados acima é, antes de tudo, uma carência cognitiva, carência de conhecimento. Diante da agonia da finitude e do fracasso iminente da vida que acometem a todos em algum momento, o religioso seria aquele que "não segura a onda" e busca socorro. Essa ideia de que ser religioso implica alguma forma de carência cognitiva é comum entre pessoas que se julgam mais cultas. Tenho dúvidas de que isso seja uma verdade evidente. A maioria das pessoas que conheço que não acreditam em Deus, acredita em bobagens como alimentação balanceada, espíritos indígenas, ciência, história, política ou em si mesmas. Pessoalmente, julgo a crença em si mesmo a mais brega e ridícula de todas.

O século XX foi mortífero não em nome de Deus, mas em nome da política. Esse é um fato que, muitas vezes, escapa aos nossos péssimos professores de história que ensinam bobagens para nossos alunos. Na minha experiência pessoal, acadêmica ou na mídia, não me parece que pessoas não religiosas sejam mais sábias do que pessoas religiosas. Muita gente para de crer em Deus ou deuses e passa a crer em si mesma (como disse acima), o que acho uma bobagem ainda maior se levarmos em conta a fragilidade de nossos pequenos "eus".

O que é religião? Sinto dizer que a resposta não é uma evidência. Para especialistas em religião, as religiões históricas são tentativas mais ou menos organizadas de modo prático, e não apenas teórico, de dar sentido à vida. Só funcionam se você estiver submetido, de fato, a elas em seu cotidiano – esse é o sentido de "prático" ao qual me referi acima. Por exemplo, a religião só funciona se a sua religião decidir o que você come ou não, quando pode ou não comer, quem pode ou não comer quem, o modo "justo e santo" de comer alguém, por exemplo, após o casamento, como deve educar seus filhos, quem está certo e errado em sua conduta, como organizar seu calendário (dividindo-o em dias sagrados e profanos). Enfim, se a religião estiver de alguma forma incorporada aos seus atos cotidianos e aos atos das pessoas à sua volta. Hoje em dia, algumas pessoas "mais cultas" pensam que se pode escolher uma religião assim como quem escolhe um prato num menu (a palavra espiritualidade acabou por flertar com essa ideia de uma "religião *light*"). Não, religião só tem sentido se ela submeter você ao conjunto de normas, ritos, rituais litúrgicos que ela carregar como doutrinas inquestionáveis. Fazer ioga uma vez por semana não dá a você nenhuma ideia do que é ser de fato religioso, tampouco uma estadia de um mês na Índia. O modo de vida contemporâneo prima por crer que tudo pode ser vivido na forma "mercadoria", como disse o filósofo Theodor Adorno no século XX. Pensamos que "escolhemos" uma religião como se escolhe uma marca de creme na prateleira do *free shop*.

A origem da religião parece estar na pré-história, como tudo o que é humano. O que os especialistas dizem é que uma gama de comportamentos ou fatos aleatórios podem ter, com o tempo e a tendência à organização que caracteriza a inteligência do *Homo sapiens*, de "se juntar" para dar corpo ao que chamamos de religião. Podemos elencar alguns desses comportamentos ou fatos, começando pelos fatos.

- Fatos: tempestades destrutivas; sons vindos de não sabemos onde, como o céu ou o subterrâneo; pestes e doenças; invasões de outros bandos, animais perigosos e temidos identificados como "espíritos"; sonhos assustadores com figuras estranhas e pessoas mortas; a escuridão do mundo à noite; a regularidade da natureza – o que dava, até hoje, a sensação de uma inteligência por trás dela, entre outros eventos.

- Comportamentos: sabedorias curativas advindas do conhecimento de ervas; previsões de fatos que acontecem, como invasões, tempestades, pestes e doenças, por isso mesmo parecem acertos de premonição; figuras carismáticas e estranhas.

Vale dizer uma palavra sobre essa coisa chamada "espíritos". O que comumente chamamos de espíritos são vultos, espectros, figuras oníricas a quem atribuímos vida própria e dramaturgia específica. O fato de sonharmos, por exemplo, com mortos nos levou a crer que esses mortos ainda viviam em algum outro lugar. A força dessa hipótese reside no fato de que, ainda hoje, muita gente, quando sonha com entes queridos mortos, continua acreditando que esses entes queridos mortos permanecem vivos em algum outro lugar. O próprio kardecismo, uma das sínteses religiosas mais simplistas que já foram inventadas pela imaginação humana acerca desses espíritos, é uma evidência de nossa capacidade de construir mitos a partir dessa tendência a levar a sério sonhos com mortos ou qualquer outra experiência envolvendo essa suposição de manifestação de vida depois da morte.

O desconhecido e inexplicável (fato que ainda hoje permanece existindo) pode disparar nossa imaginação com facilidade. O melhor método para entender isso é nos imaginar 100 mil anos atrás e supor como agiríamos nessas situações sendo como somos hoje, porque somos "os mesmos". O fato de podermos nos colocar no lugar de nossos antepassados nos torna capazes de entender grande parte da vida na pré-história.

Se pensarmos com cuidado, veremos que as religiões são a associação de elementos como os descritos, acrescidos de ritos, rituais, liturgia, narrativas míticas, textos sagrados e organizações sociais e políticas ligadas a essa "trama" de elementos. Com o passar do tempo, a "trama" se sofisticou, fez filosofia e teologia, teve códigos de conduta, reis e sacerdotes, mas a raiz permanece na mente desse *Homo sapiens* que caminha sobre a Terra sem saber nada de si mesmo.

Uma pergunta que se faz sempre é a razão para que, mesmo depois de tantos "avanços científicos", a maior parte da humanidade permaneça religiosa em grande medida, ainda que sem ter uma grande adesão estrita (os fundamentalismos não chegam a ser maioria). A resposta mais direta é que os "avanços científicos" têm pouco impacto nos afetos a ver com nossa carência (cognitiva, morte, dor, sofrimento, fracassos, enfim, nós). Mesmo vivendo mais (o que pode criar mais angústias), e com maior qualidade material de vida, essas questões não são respondidas. Afinal, por que sofremos sem merecer? Por que o justo sofre? Lembra o nosso pequeno coro de demônios?

Alguns especialistas dizem que as religiões não cedem diante dos "avanços científicos" porque estão enraizadas em nosso "cérebro atrasado" ou "ancestral", pouco racional e mais afetivo. A ciência, então, não teria nenhum efeito nesse cérebro habitado por fantasmas. Claro que os crentes respondem à mesma questão dizendo que as religiões não cedem porque existe o mundo sobrenatural, e, portanto, descobrir o átomo ou fazer aviões nada tem a ver com acabar com os deuses ou espíritos. Enfim, não parece que um dia veremos as religiões acabarem porque elas se adaptam, e como a vida é mesmo cheia de dúvidas e inseguranças, o terreno para o *sapiens* atormentado nunca acabará.

Outra questão importante é: as religiões dizem a mesma coisa? É possível tornar os religiosos todos irmãos no amor e na paz? Sinto muito, a resposta é um claro "não". Os religiosos têm uma história maior de violência do que de paz, mesmo que em nome do amor de Deus e sua verdade. Quem estuda a fundo as religiões de modo comparativo sabe que elas não dizem a mesma coisa porque, de cara, não falam a mesma língua, e, portanto, seus conceitos e ideias dependem da língua e dos contextos históricos e sociais em que nasceram e se desenvolveram. Quem acha que as religiões dizem a mesma coisa é porque nunca as estudou ou porque tem uma fé religiosa de que, ao final, o bem vencerá. E então vem a pergunta: qual bem? De quem? De qual texto? De qual mitologia? De qual narrativa moral religiosa? Quer um exemplo bem claro disso?

Pense em Jesus. Não existe cara mais legal do que ele. Agora lembre que os cristãos creem que ele seja Deus (pelo menos a maioria "oficial" dos crentes em Cristo, católicos ou protestantes), o que escandaliza judeus e muçulmanos que acreditam que Deus (é o mesmo Deus) jamais "vestiria" um corpo humano. Os cristãos pensam que ele é o Messias que os judeus esperam. Agora, imagine um seminário que reúna judeus e cristãos para discutir o caráter de Messias em Jesus. Penso que o coquetel teria de ser logo servido, porque cristãos acham que os judeus perderam o bonde e não perceberam que o Messias já veio 2 mil anos atrás, e os judeus acham que os cristãos compraram gato por lebre ao tomar Jesus como Messias. A solução é falar da importância do amor e da tolerância entre as religiões, porque discutir teologia vai dar pau. A única forma de fazer as religiões dizerem a mesma coisa é desidratá-las de parte de suas crenças: Jesus = Messias. Nesse caso específico, a comparação deve ser evitada em favor de traços mais éticos como amor, generosidade, aceitação do outro por parte da figura histórica de Jesus. Isso serve para todos os casos. Afinal, devemos aceitar Maomé como o último profeta de Deus? Existe reencarnação ou os kardecistas estão viajando? Quem tem a última palavra na interpretação dos textos sagrados? Deve-se ou não matar bichos e oferecê-los aos deuses? É um Deus só, uma Deusa ou Deuses? Deus é contra matar? No texto bíblico, ele mata egípcios, cananeus, hebreus, filisteus, e por aí vai.

A solução contemporânea é optar pelo convívio político de tolerância dentro de uma sociedade que só não aceita que não paguemos a fatura do Visa, e não entrar em detalhes teológicos. Por isso, devemos dizer que Jesus, Buda e Che são todos os mesmos (e lutam pela paz, o que no caso de Che é uma mentira deslavada) e servir o jantar. E daí criarmos uma teologia que diga tudo e nada ao mesmo tempo, para não criar conflitos. Logo, as religiões não dizem a mesma coisa, nem sempre elas pregam o amor a todos porque os homens não podem amar a todos o tempo todo. Outra saída é afirmar que Deus é sempre um só, e que os místicos sabem disso, porque entram em contato com Ele para além das palavras. Ainda assim, nem todos os místicos dizem a mesma coisa, pois uns falam do Deus pessoal, de Jesus; outros, os orientais (ou alguns cristãos "hereges" como Mestre Eckhart no século XIV, ou cabalistas da Espanha medieval), falam de um "nada" acima de Deus ou dos deuses.

Mas a simplificação a serviço de uma religião menos conflituosa criou um "produto" que se chama espiritualidade, fazendo uso de uma palavra francesa surgida, até onde se sabe, no século XVII, que significava a vida do espírito humano em contato com Deus. O que vem a ser essa tal espiritualidade?

A palavra, como acabei de dizer, na sua origem fala da vida do espírito em contato com Deus. Na Bíblia hebraica (que os cristãos chamam de Velho Testamento), Deus dá o espírito ao homem para que por ele possamos nos comunicar com Ele, Deus; portanto, é uma dimensão superior que só homens e mulheres têm. Na Grécia, espírito era só um ar (*pneuma*) que saía pela boca na hora da morte (segundo o famoso filósofo grego Epicuro, que viveu entre 341 e 270 a.C.). Outros, como Aristóteles (384-322 a.C.), falavam em *nous* (intelecto), mas essa ideia dele foi assimilada por cristãos, judeus e muçulmanos como "espírito". No início do cristianismo, gnósticos falavam em pneumáticos como os verdadeiros cristãos, porque tinham *pneuma*, espírito, muito mais próximo da ideia hebraica.

A palavra espiritualidade em seu uso contemporâneo e de senso comum (ou seja, usada por gente comum e não especialistas) significa ter "um pouco" de religião, mas não muito. O bastante para você não se sentir um materialista que só acredita em dinheiro e átomos. E para mostrar que você é uma pessoa um pouco profunda. Na prática, significa quase nada. Talvez ler uma revista sobre natureza, ter uma alimentação balanceada, praticar turismo selvagem ou budismo *light* para ricos e famosos. Mas essa forma de espiritualidade de consumo serve pouco na hora do vamos ver, porque não tem aquele cotidiano de que falei antes e se faz necessário para a religião "fazer efeito". A vantagem dela, a leveza e a falta de compromisso institucional, que tanto atraem os mais ricos e famosos, na hora do vamos ver, é sua fraqueza. Essa espiritualidade contemporânea vale tanto quanto o vento que passa.

Existe algo mais a ser dito sobre religião e espiritualidade, mas isso merece um capítulo à parte, o seguinte.

CAPÍTULO 7

Religião × ceticismo: contra os picaretas do espírito

Decidi fazer um capítulo à parte opondo religião a ceticismo porque acho que a principal crítica à religião, seguindo a tradição de Marx, Nietzsche e Freud, é nos lembrar como picaretas roubam o dinheiro das pessoas que creem neles. E isso, devo dizer, nada tem a ver com pessoas que vivem suas crenças de modo honesto e dedicado. Que fique sempre claro que não acho ateus mais ou menos inteligentes do que crentes, nem mais ou menos morais. Mas sou obrigado a reconhecer que alguns crentes são mais facilmente tomados por picaretas do espírito do que aqueles que são, por temperamento, mais descrentes no sobrenatural. A maioria dos ateus militantes sofre de outro mal: acreditam nos avanços científicos como resposta à vida, outra ilusão, mais complexa. Não vou tratar dela aqui; talvez, se me der vontade, mais à frente.

O que é um picareta do espírito? Já digo, mas, antes, vamos esclarecer o que é ceticismo.

Ceticismo é um modo de ver o mundo nascido na Grécia antiga que ensina você a duvidar de tudo. A palavra vem do verbo grego *skopein* e significa observar, ver com atenção. Um cético pode ser muitas vezes um pentelho, sobretudo se "acreditar no ceticismo" como última resposta a tudo. Afora esses chatos, o ceticismo é, sim, uma prática muito importante na filosofia e na vida cotidiana, porque pode ajudar você a escapar de muitos picaretas, espirituais, políticos, afetivos e comerciais.

O ceticismo é um método de confrontar teorias e vê-las ruir uma a uma, o que cria em você uma tendência a duvidar de tudo de uma vez. Cuidado, porém: um dia você pode encontrar alguma teoria que o espante. Uma certa leveza de espírito é necessária ao cético; do contrário, ele pode virar um adolescente boçal que acha que é a primeira pessoa inteligente na face da Terra. Em alguns assuntos, a dúvida parece se sustentar com facilidade, e um deles é o campo desses picaretas do espírito. O que é mesmo um picareta do espírito? Você já deve ter visto um.

São gente que diz que pode salvar você de alguma coisa, mas quando fica doente vai ao médico e diz que o guia espiritual avisou a ele que agora era para valer.

Risadas? Se você rir, eles bem que merecem. Em geral, pedem dinheiro para você de forma melosa ou dizem que uma grande ameaça ronda você. Ou que o espírito X, sábio e antigo, pediu a você essa grana para uma causa maior (grana para o picareta do espírito pagar as contas dele). Uma vez tendo sentido medo de que ele esteja dizendo a verdade, você está perdido. A armadilha é dar a ele uma ponta de credibilidade. Você estará perdido. Repito para você lembrar de mim na hora em que um desses picaretas aterrissar a sua frente. Preste atenção no que eu vou dizer.

Existem três grandes áreas de choque na vida. 1) Saúde e doença, 2) dinheiro e trabalho e 3) amor e família. Quase tudo pode ser incluído nessas áreas, e elas, pelo menos uma delas, sempre dá problema, sendo a saúde a definitiva. Esses picaretas do espírito, assim como os xamãs pré-históricos faziam, anunciam coisas que sempre podem acontecer: viagem a trabalho, doenças na família, oportunidades de grana, traições afetivas. Os coitados dos crentes que os seguem nunca percebem que nada muda na vida que possa ser provado como tendo sido resultado da ação desses picaretas. Mas quando algo de fato acontece (sempre acontece, porque essas são áreas de choque na vida), você, pobre crente, acredita que o aviso foi uma forma de proteção que os guias desses picaretas lhe deram. Aí, de novo, você estará perdido. Se algo de ruim acontece, eles avisaram. Se eles disseram para você gastar uma grana para evitar que esse algo de ruim aconteça, quando o "trabalho" feito não funciona, os picaretas do espírito dizem que não funcionou porque faltou algo em você, ou no material usado (ou seja, você errou em algo), ou aquilo de ruim tinha de acontecer para a sua evolução espiritual.

Esse argumento de evolução espiritual serve para tudo, porque ninguém sabe onde ela começou. Uns dizem que começou quando erámos pedra, mas como pedras não falam, não temos como entrevistá-las e checar a informação sobre nosso parentesco com elas. Talvez seja por isso mesmo que elas servem: porque não temos como checar a informação! Tampouco sabemos quando a evolução espiritual acaba. Alguns dizem que viramos luz, mas como luz não fala... E então todo o ciclo da impossibilidade de checar o que eles falaram se repete ao infinito.

A chave do picareta do espírito é dizer o que todo mundo sabe que pode acontecer e capitalizar para si o que de fato acontece ou terceirizar tudo aquilo que ele errou ao dizer que ia acontecer. O crente parece esquecer essas coisas óbvias quando cai sob a "proteção" do picareta do espírito.

E no meio da tal evolução espiritual cabe tudo. É evidente que temos coisas a aprender na vida, mas isso nada tem a ver com picaretas espirituais que cobram grana de você e em troca vêm com historinhas que servem só para você continuar dando grana a eles. Algumas pessoas sustentam esses picaretas durante anos, compram casas para eles, carros, roupas, dão viagens. Eles testam você e, quando percebem que você tem grana e fé neles, o céu é o limite do abuso que sofrerá. Para ser um picareta do espírito você precisa ter algum talento especial. No mínimo ser observador, manipular bem as três áreas de choque às quais me referi e entender um pouco de psicologia humana para saber que somos uns desgraçados amedrontados, carentes, abandonados, e que isso se vive no dia a dia, com os pais, os filhos, os cônjuges, os colegas de trabalho. Um picareta do espírito, em geral, é uma pessoa minimamente encantadora e que domina alguma linguagem tradicional, que pode vir da África (esses são bons porque também metem medo nos desgraçados por causa de coisas conhecidas como vodu – o que necessariamente não tem a ver com o nosso aqui no Brasil), da Austrália (bem na moda) ou mesmo da Amazônia (para os mais naturebas e que não falam inglês).

Quando você vir uma vítima de um picareta do espírito, lembre que isso é pré-histórico. E deixe-me perguntar uma coisa: você já morreu numa grana com um desses picaretas? Que pena, quem mandou ser bobo.

Ser um pouco cético ajuda nessas coisas. Mas, antes de tudo, se pergunte: por que esses picaretas não conseguem resolver a própria vida e sempre precisam da sua ajuda para manter a picaretagem funcionando?

CAPÍTULO 8

Metafísica

A palavra metafísica tem *pedigree* na filosofia, seja para defendê-la, seja para atacá-la. Por exemplo, Platão, pai fundador da filosofia, era um metafísico, Nietzsche detestava a metafísica, entre outros nomes grandiosos. Às vezes significa um ensino historicamente datado, como no caso de Platão ou Aristóteles, às vezes significa um tipo de temperamento dado a crenças ou emoções ligadas a um mundo além da matéria, por exemplo, como no caso de muitos religiosos, místicos ou românticos.

A ideia de metafísica nasce com Platão com seu "mundo das ideias perfeitas e imateriais" a partir das quais nosso mundo da matéria teria sido feito como uma cópia imperfeita e corruptível. Para Platão, as imperfeições do mundo e da vida seriam fruto de incompetência do demiurgo (um deusinho vagabundo) que inventou este mundo copiando as ideias eternas e plenas do mundo das ideias. A consequência, ainda que ele nunca tenha usado a palavra metafísica em sua obra (quem usou foi Aristóteles, para dar o título de sua obra sobre o "Ser"), foi fundar todo um campo de reflexão acerca do imaterial, invisível e eterno, coisa que judeus, cristãos e muçulmanos adoraram quando leram, porque viram nesse mundo a "cabeça de Deus", ou, no mínimo, sua casa. Quando Aristóteles afirma que existe um "primeiro motor imóvel que tudo move sem ser movido, que tudo condiciona sem ser condicionado, que tudo causa sem ser causado", e chama isso de *theos*, e inventa uma parte de seu livro *Metafísica* (ao pé da letra "o que vem depois da física", logo, do material) à qual dá o nome de teologia, os religiosos não resistem e dizem: olha aí, Aristóteles conhecia Deus, porque reconhecer Deus é fruto do pensamento!

A metafísica se tornou uma espécie de primeira ciência (no sentido de primeiro saber), que exploraria o mundo das verdades eternas e não materiais, a parte "filosófica" da crença no invisível e imaterial porque Deus, deuses e espíritos seriam imateriais e invisíveis (a menos que quisessem se fazer materiais e visíveis para nós). A metafísica virou um nome usado para se referir a esse mundo das "substâncias imateriais".

Outra coisa que atormentou e atormenta muita gente é se existe mesmo (como existia para Platão) um bem imaterial e eterno; portanto, se o bem seria algo não criado pelo homem e sua história. Pessoalmente, acho que sim, é criado pelo homem e sua história, mas não acho que saibamos como fazemos isso. Então, apesar de sermos nós que fazemos, parece algo de outro mundo, porque não temos o controle desse processo, ao contrário do que pensam os bobos marxistas e foucaultianos. A ideia de que exista um bem imaterial e eterno alimenta a alma religiosa e metafísica porque ela associa esse bem a Deus.

A própria ideia de alma é com frequência vista como metafísica, por isso imaterial e eterna. Mas quando pensamos em alma assim, estamos chegando perto do que podemos chamar de "sobrenatural", algo que veremos no próximo capítulo.

A filosofia moderna e contemporânea criticou muito a metafísica, chegando mesmo a destruí-la, de certa forma, dizendo que é uma espécie de viagem de platônicos de todos os tipos. Com o nascimento da ciência, a ideia de um mundo imaterial se tornou meio fora de moda, porque o pensamento moderno é muito preocupado com a eficácia e os resultados, e a metafísica não serve para nada, a não ser para nos ajudar a crer em alguma forma de um mundo melhor do que esta em que vivemos, o que pode significar que a metafísica não passa de pânico diante do nada – como pensava um dos maiores antiplatônicos da história da filosofia, Nietzsche.

CAPÍTULO 9

O sobrenatural

Ainda estamos no terreno da religião e da metafísica quando falamos de sobrenatural. A palavra não tem o mesmo *pedigree* como tem metafísica, porque quando pensamos em sobrenatural, pensamos em filme de terror ou almas penadas à noite na casa da fazenda. Mas ela também tem uma origem digna na filosofia, e essa origem tem a ver com a ideia do que seria além ou acima da natureza ou do natural no homem e no mundo, o que se confunde com a ideia de ação de Deus no mundo. Podemos dizer que a palavra tem um significado na filosofia e outro nas religiões, sendo o primeiro mais ligado à ação de Deus no comportamento humano por meio da graça divina (como dizia Santo Agostinho no início do século V) e o segundo mais ligado a crenças espíritas que associam o sobrenatural a manifestações de espíritos desencarnados no mundo dos homens. Acho este mais importante para pessoas comuns e o anterior mais ligado ao universo filosófico e teológico profissional, por isso vou dar mais atenção ao sentido religioso da expressão: sobrenatural como manifestação do mundo dos mortos. Você já viu alma penada? Ou acredita nelas? Eu não, mas gostaria de conhecer uma.

Na peça *Hamlet*, de Shakespeare (século XVII), vemos na primeira cena um exemplo que pode nos ajudar a entender o que se quer dizer com manifestação do sobrenatural no sentido do senso comum. O pai do Hamlet assassinado pelo irmão e pela esposa pede vingança ao filho. Não precisamos ir adiante no enredo. A ideia mais comum de sobrenatural é que ele seja o mundo dos mortos que se relacionam com os vivos. Há sempre um vínculo moral entre esses dois mundos em que um influencia o outro. Grande parte das crenças em espíritos se alimenta dessa forma de vínculo. Esse tipo de crença implica uma economia moral entre os dois mundos e também o destino daqueles que morrerão um dia e dos que já morreram. A questão essencial aqui é: por que esses mortos "precisam de nós, meros vivos?". Porque não existem e são criações humanas. Esses espíritos nunca sabem além do que sabemos: precisamos amar uns aos outros, fazer menos guerra, ter menos poluição e combater o apego material. Quem precisa de espíritos do além para saber que estamos num atoleiro moral neste mundo dos vivos?

Em outra chave, esses mortos nos atormentam porque eles mesmos são uns desgraçados, e a situação deles, talvez, não tenha a ver diretamente conosco, mas com a vida deles enquanto estavam vivos. E eles se envolvem conosco porque podemos lembrar, por exemplo, alguém com quem tiveram vínculos enquanto vivos, como no caso de Drácula e sua esposa reencarnada na personagem do romance *Drácula*, de Bram Stoker (século XIX), chamada Mina. De qualquer forma, a temática moral se impõe, assim como a da felicidade *versus* infelicidade. É interessante perceber como os afetos são a marca no mundo do sobrenatural. A crença nessa dimensão pode ocupar a vida de muitas pessoas, mesmo que seja pelo medo que as faz sentir. Resta nos perguntarmos a razão de, depois de tanto conhecimento científico acumulado, tanta gente ainda se sentir atormentada e atraída por esse tipo de coisa. A primeira conclusão é que permanecemos, em alguma medida, na pré-história, amedrontados pela escuridão do mundo e de nós mesmos. Sem dúvida, o materialismo e sua afirmação de que a vida depois da morte é uma ilusão me parecem uma opção mais tranquila do que a ideia de permanecer existindo infinitamente e sob ação de afetos tão fortes, apesar de que acho mais dramática e bela a ideia de uma existência atormentada para sempre do que o repouso na pedra, como afirma o materialismo.

Ninguém em sã consciência pode dizer a última palavra nesse terreno do sobrenatural. A crença, sendo pré-histórica, está fincada em solo humano, e não será um pouco de ciência que a fará desaparecer, mesmo porque, *yo no creo en brujas, pero que las hay, las hay*.

CAPÍTULO 10

Deus existe?

Uma das perguntas que julgo mais inúteis em filosofia é se Deus existe. Vou contar uma coisa para você. O filósofo Blaise Pascal (século XVII) inventou uma coisa que ficou conhecida como "aposta pascaliana", que gente chique como o psicanalista Jacques Lacan (século XX) gostava de citar como metáfora para o final de análise (coisa tão difícil de ver quanto amor verdadeiro...). O psicanalista francês queria dizer com isso que um paciente que fez bem sua análise estaria na condição do crente de Pascal: a vida é uma questão de aposta e não segurança absoluta, coisa que neurótico sempre busca e nunca encontra (de novo, como o amor verdadeiro...).

Mas voltemos à aposta de Pascal. A ideia, no primeiro e mais citado momento de sua "aposta", era mostrar para o descrente (o libertino, na linguagem de sua época) que ele era um sujeito sem informação e pouco racional, porque se o fosse, saberia que o mais racional e útil era apostar na existência de Deus. E por quê? Porque caso você apostasse em sua não existência, você viveria os poucos anos de sua vida terrena sem levar em conta a vontade de Deus, e depois toparia com o Eterno do outro lado cobrando tudo de errado que você fez aqui. Assim, você teria negado investir (apostar) na existência de Deus nos poucos anos que teve na Terra e seria obrigado a amargar uma eternidade de sofrimento do outro lado. Qualquer quantidade que você aposte contra o infinito é um nada, por isso o texto em que ele descreve sua aposta se chama "Infinito, nada". O infinito é Deus e nós somos o nada.

Mas voltemos aos termos da aposta. Se você apostasse que Deus existe, e vivesse seus poucos anos aqui levando em conta a vontade de Deus, e tivesse uma vida "sem graça porque santinha", e Deus não existisse, você não realizaria a perda, porque morreria e sua alma deixaria de existir; logo, você não tomaria consciência de que fez uma aposta errada. Se você apostasse na existência de Deus e Ele existisse, aí você seria recompensado com uma eternidade de leite e mel, bem ao contrário daquele descrente que não quis se limitar nesta vida, mas acabou por amargar uma eternidade de sofrimento.

Portanto, nesse primeiro e mais citado momento de sua aposta, Pascal estaria nos dizendo que o mais racional é apostar na existência de Deus porque o risco contrário seria muito pior (Pascal era um exímio jogador de dado, um verdadeiro viciado). O erro na aposta da Sua existência seria muito mais terrível do que o erro na aposta da Sua inexistência. A perda, aqui, seria muito maior que uma vida sem graça e santinha em nome de um Deus inexistente, uma vez que sua alma acabaria com o corpo e não tomaria consciência de sua aposta errada.

Existe um segundo momento da aposta menos citado e fundamental para o argumento de Pascal. Uma vez tendo ouvido o discurso do crente, que quer provar que a crença em Deus é mais racional em termos de probabilidade (Pascal é um dos fundadores do cálculo de probabilidades em matemática), o descrente diz que, mesmo reconhecendo a força lógica da aposta, não consegue crer em Deus. Ao que Pascal responde logo: a fé é fruto da graça divina, é sobrenatural, e não fruto de cálculo racional. Com isso, Pascal quer dizer que não adianta tentar provar a existência de Deus, porque não chegamos à fé pelo uso da razão e seus argumentos, mas sim pelo fato de Deus nos dar ou não a graça de ter fé Nele.

Concluímos, assim, que de nada adianta o uso da razão em assuntos da fé. Você pode ver pessoas brilhantes que têm fé e estúpidos que se acham o máximo porque não creem em Deus.

Claro que falar que crer em Deus é fruto da graça de Deus, é já crer Nele de alguma forma. Mas posso sair desse ciclo teológico e pensar que crer em Deus é mais fruto de causas extrarracionais como educação, traumas infantis, ambiente cultural familiar, ter um "cérebro de crente" do que pensar que crer em Deus é fruto de uma cadeia lógica de provas a seu favor. A mesma coisa vale para a descrença. Dito de outra forma, não acredito que crer em Deus seja uma coisa que você escolhe, assim como você escolhe uma marca de sabonete ou uma marca de carro com base na lógica custo-benefício. Acho que argumentos que tentam provar a existência de Deus são inúteis. Muita gente tenta provar a existência de Deus dizendo que o universo "necessita" de um princípio ordenador de tudo, o que eu julgo infantil como argumento. Tudo isto aqui pode ser fruto de um grande acaso num espaço de tempo inimaginável no qual os elementos se arrumam e desarrumam, e no meio deles nós surgimos e desaparecemos.

Deus existe? Eu nunca fui crente. Mas isso não me impede de julgar Deus uma hipótese elegante para a existência das coisas, uma vez que um ser como Ele me parece misterioso e interessante de conhecermos, ainda mais se for uma "pessoa". Qualquer um de nós no lugar Dele já teria se matado. Ninguém suportaria a eternidade e tanto conhecimento acumulado (o conhecimento de tudo que existe), apesar de ficarmos atrás dela (a eternidade) nessas crenças no sobrenatural, na metafísica e no próprio Deus. O que me leva a perguntar: o homem é um ser racional? Como ele pode buscar tanto uma coisa (como a eternidade) de modo tão obsessivo e enlouquecer se a conseguisse? Então, repito: seria o homem um ser racional?

CAPÍTULO 11

O homem é um ser racional?

Não creio, sinto lhe dizer. Você acha que como sou um filósofo deveria crer que o homem seja um ser racional, mas lamento dizer que julgo algo irracional pensar que o homem, diante de tantas provas, seja um ser racional. Ou, talvez, eu deveria ser mais comedido e dizer que o homem é apenas em parte racional, e assim não destruir sua fé no conhecimento. Como já disse antes, quando discutíamos meu pequeno coro de demônios, estou longe de achar que o conhecimento torne um homem melhor. Mais sofisticado com certeza, melhor em termos de caráter? O contrário é mais provável.

A fé em que o homem seja um ser racional é uma bobagem recente. Qualquer hegeliano ou marxista de plantão diria que só com a emergência do mundo moderno burguês, que precisa de uma sociedade racionalizada em seus processos para que o dinheiro circule com segurança de retorno ainda maior, é que o homem começou a querer se ver como um ser plenamente racional. Por isso, o Iluminismo e sua baboseira racionalista. Mesmo para um Platão que buscava se livrar do pessimismo trágico da religião grega era claro que no homem nem tudo é racional. A ideia de que o homem é um ser racional vai bem com a ideia, necessária no mundo burguês, de que ele é autônomo. Mas tanto a racionalidade quanto a autonomia são uma pequena parte da vida humana, ainda que não devamos buscar mais racionalidade e mais autonomia da vida. Kant estava certo em defender a noção de "maioridade" como sendo a capacidade humana de assumir suas decisões a partir de um esforço de autonomia e racionalidade. Nem sempre isso é possível.

O que faz o homem não ser racional plenamente? Muitas coisas. Instintos, taras, o corpo e sua fisiologia e patologia, o contexto psicológico em que nasceu, a falta de grana, o ressentimento que o afoga em inveja do cunhado mais rico ou da cunhada mais gostosa, enfim, motivos é que não faltam para não sermos plenamente racionais.

Existe, entretanto, um motivo mais profundo para isso. Os gregos usavam a palavra *pathos* para descrever forças, internas ou externas, capazes de nos submeter. Traduzimos essa palavra por paixão ou emoção, mas também por doença (patologia). Nossa capacidade de agir racional e autonomamente depende do quanto de *pathos* age sobre nós. Portanto, desde a filosofia antiga, suspeita-se dos limites da autonomia racional humana. Na filosofia medieval, o cristianismo acaba trazendo para dentro desse debate a ideia de pecado. O pecado destrói nossa capacidade de julgamento e entendimento da realidade, fazendo-nos de escravos da concupiscência (a atração irresistível pelo pecado): basta lembrar de você dominado pelas pernas de uma gostosa, ou você, cara leitora, desejando muito fazer coisa errada por aí...

Já na modernidade, autores como os românticos (de que já falamos antes) duvidavam dessa racionalidade toda e achavam que ela poderia nos enlouquecer porque seria contra nossa natureza meio misteriosa e irracional. Foram esses românticos que pela primeira vez falaram em inconsciente. Freud e seus seguidores criaram uma disciplina, a psicanálise, que negava a plena autonomia do Eu ("ferida narcísica" na linguagem de Freud era saber que não somos senhores em nossa própria casa, o inconsciente é esse senhor). Imersos em traumas inconscientes e em pulsões infinitas, para a psicanálise, conseguimos só com muito esforço um pouco de razão e um pouco de autonomia.

Mesmo o marxismo e companhia e seu conceito de ideologia determinaram que nossa classe econômica definiria em parte nosso pensamento e nossas emoções.

Então, o que sobra disso tudo? Vale a pena buscar ser racional e responsável? Claro que vale, mas não queira recompensas. Nada garante que vai dar certo, mas, creio, a experiência do amadurecimento mostra que, ainda que seja precária, a tentativa de olhar para o mundo pelos olhos da razão sempre nos ajuda a entendê-lo melhor. E isso nos leva a alguma experiência de autonomia. O homem não é um ser racional plenamente, nem pode sê-lo, a menos que seja doente. Nem por isso devemos desistir de ser racionais em alguma medida. Como dizia o grande Nelson Rodrigues (século XX), a razão é algo que se busca com o mesmo sofrimento que a santidade. Muitas vezes contra sua própria natureza de bicho. Nesse sentido, ser racional é um esforço que merece nosso cuidado.

CAPÍTULO 12

Materialismo

Essa palavra significa duas coisas em filosofia. A primeira, e mais antiga, e mais importante, data da Grécia e quer dizer o seguinte: tudo o que existe é feito de átomo, e quando morremos tudo acabará. A segunda, mais recente, filha da tradição sociológica (Marx, no século XIX, navega nesse sentido), quer dizer que o mundo do pensamento, dos afetos e das instituições pode ser explicado pelas relações materiais que se tem em sociedade, tais como modos de produção, comércio, guerras, instituições, e por aí vai. Um exemplo simples disso seria: se você anda de ônibus, você ama de um jeito; se você anda de helicóptero, você ama de outro jeito. Entendeu? Amor, aqui, seria função do modo como você se desloca no mundo, que por sua vez seria função de quanta grana você tem, que por sua vez seria função do seu lugar na cadeia produtiva de bens, ou seja, você é agente ativo ou vítima passiva?

A importância desse viés está em nos ajudar (independentemente da viagem louca de Marx e seu comunismo) a pensar a sociedade sem nenhum recurso da metafísica como fundamentação da história. Isto é, não pensar que a história possa ser conhecida sem levar em conta as relações concretas que os homens estabelecem entre si para criar o mundo em que vivem. E também sem imaginar que exista um sentido metafísico para a história, ou que ela esteja indo para algum lugar. A propósito, percebemos o caráter metafísico de Marx na medida em que ele achava que a história estava indo para algum lugar, a saber, o comunismo.

Vou voltar para a forma mais antiga de entender o materialismo, porque ela é que atormenta os seres humanos comuns, como eu e você. O materialismo histórico, como os marxistas chamam sua teoria, apesar de ser bastante sofisticado (e, muitas vezes, delirante quando quer prever o futuro e o comportamento humano em sua totalidade), permanece muito distante da percepção da realidade mais imediata que os meros mortais têm. Apesar de que, de certa forma, o materialismo histórico é construído pelo combate constante que os humanos têm com sua realidade precária e finita, por isso mesmo econômica.

Mas, afinal, tudo é feito só de átomos?

Sim, segundo os gregos antigos, gente como Demócrito (460-370 a.C.), Leucipo (filósofo pré-socrático), Epicuro e o romano Lucrécio (99-55 a.C.). Não só a afirmação materialista (ou atomista) é importante em si, mas as consequências dela, ou seja, não existiria vida após a morte, nem a moral seria fundamentada num bem maior metafísico. E isso é um problema para a maioria de nós, como já falamos antes (eu, como disse, nunca me interessei pela vida após a morte). E mais: se tudo é apenas matéria, e nada existe de metafísico, como ficam os valores como o bem ou a justiça? (Esse problema também já vimos.) O materialismo não é um problema em si, mas o é pelas consequências que decorrem dele. A maioria das pessoas julga que o materialismo nos levaria à depressão e à falta de sentido na vida. Ao caos também. Será?

Muitos filósofos materialistas tentam responder a essas perguntas, e veremos algumas delas aqui. A questão quase sempre é responder ao nosso temor de que o materialismo nos transforme em meros bichos, amontoados de átomos, sem valores, sem alma, sem futuro. Será?

Não para Epicuro e Lucrécio. Mas, para muitos, suas soluções são ou ingênuas ou desesperadas. Vejamos.

Não sabemos muita coisa sobre Demócrito e Leucipo, além de que eles teriam sido os primeiros a falar de átomos como partículas indivisíveis de que tudo seria feito. Até onde se sabe, para eles, o universo, e nós dentro dele, seria composto dessas partículas que se movimentam eternamente e sem destino, formando e desformando corpos maiores e menores, mais densos e menos densos, entre eles nossa alma, uma espécie de ar que se esvai com o último suspiro. Portanto, nada de vida após a morte.

Epicuro e Lucrécio avançaram nessa ideia dizendo que os átomos, por alguma razão, desviavam de sua rota sem destino e batiam uns nos outros, formando e desformando os tais corpos que compõem a matéria total do universo. Para essa virada, eles deram o nome de clinâmen.

Para todos os atomistas antigos, portanto, o fundo da realidade é caótico e sem sentido nenhum. Não se pode deduzir de partículas doidas moral alguma, bem algum, justiça alguma, a não ser a negação de qualquer ordem fundamentada nesse fundo da realidade. É isso que afeta muita gente. Por quê?

Simples. Aqueles que acreditam em Deus ou similares presumem que esse fundo da realidade é Ele ou sua vontade suprema (portanto, um fundo da realidade metafísico e não físico, como os átomos, e que se preocupa conosco acima de tudo). Deus sabe o que faz, porque os crentes pensam que Ele é legal, mesmo que, às vezes, seja um pouco difícil de entender.

Já para caras como Epicuro e Lucrécio, estamos sós nessa. O universo é vazio em termos de planos, suas partículas vagam por espaços infinitos, sem que ninguém saiba nada delas. É essa solidão dos espaços infinitos que aterrorizava gênios como Blaise Pascal no século XVII, após a física atomista newtoniana. Essa solidão grita em nossos ouvidos palavras de espanto. Como enfrentá-la? Estamos aqui num dos corações do drama humano.

Esse coração do drama humano aparece cada vez que o sofrimento bate em nossa porta. Como sobreviver ao medo de que o fundo da realidade seja a contingência (sorte-azar, acaso) dos átomos? Não há ninguém ali para nos consolar? Os medievais falavam muito de consolação da alma porque precisamos de consolação. Os materialistas (que, além dos gregos fundadores, somam gente como Nietzsche, Sartre, Camus, Cioran, entre outros), ao longo da história da filosofia, tentaram algumas formas de acalmar nosso coração amedrontado. Vejamos algumas delas.

Entre os antigos, tentava-se superar esse medo dizendo que na hora da morte não estaríamos presentes, porque, uma vez a morte instalada, não haveria consciência alguma dela, já que é a negação da consciência. Sempre achei essa ideia epicurista ingênua, na medida em que nosso medo não é o nada mas o sofrimento até a morte, além da perda do que significa a vida em si. Mas Epicuro estava em busca de um argumento que acalmasse os crentes diante do medo de que os deuses nos atormentariam em nossa eternidade. Ao dizer que com a morte não estaríamos mais presentes em lugar algum, Epicuro nos garantia que os deuses nada poderiam fazer contra nós, na medida em que não existiríamos para ser atormentados por eles. Esse aspecto do argumento me parece melhor do que a tentativa de acalmar nosso medo da morte enquanto tal. O repouso na pedra pode ser um fim razoável para uma consciência que não relaxa nunca como a nossa.

Afora Sartre (século XX), que se equivocou feio quando achou que Marx ficaria no lugar de Deus (risadas?), gente como Nietzsche e Camus, filósofos ateus (e, portanto, muito próximos do materialismo enquanto tal), apostou na busca da coragem como virtude máxima, tentando virar o jogo e dizer que a coragem de enfrentar a aparente falta de sentido da vida (intrínseca à ideia de materialismo, finitude e inexistência da fundamentação do bem moral), e não o medo dessa falta de sentido, é que nos daria gosto pela vida. Será?

Será que somos tão corajosos assim? Espero que sim, senão este manual de filosofia para corajosos não terá público. Até porque a coragem não é algo que se compra em *free shop*. Como toda virtude, como dizia Aristóteles, é um saber prático. Só se sabe o que é coragem quando se é corajoso.

Concordo com Aristóteles, Nietzsche e Camus, mas acho que visões como a materialista levam mais pessoas a remédios ansiolíticos do que à coragem. Somos seres medrosos porque sabemos mais do que devemos e menos do que precisamos. Essa consequência "médica" do materialismo em nada depõe contra ele, uma vez que descreve nosso desespero e não nega a afirmação materialista acerca da finitude humana e da inexistência de uma fundamentação absoluta para o bem – já que o fundo da realidade seria o caos atômico e sua indiferença para com nossa necessidade de sentido.

Enfim, os materialistas terão razão? Acho que sim, mas não há provas nem que sim nem que não. As narrativas espíritas me parecem infantis, mesmo porque os espíritos nunca sabem mais do que nós. Entretanto, nosso desespero é tal que ainda assim a maioria de nós crê neles. A coragem da qual fala Nietzsche e Camus me parece uma ideia muito elegante e muito próxima da virtude heroica: admiramos quem demonstra não ter medo diante do chefe ou de qualquer situação mais dramática na vida, mas, assim como a maioria dos europeus colaborou com os nazistas durante a Segunda Guerra Mundial, creio que continuamos optando pelo medo e pela mentira que servem à nossa sobrevivência. Apesar de a moral sofrer com a teoria materialista, muitos filósofos sustentaram e sustentam que não precisamos de deuses para agir segundo o que é certo (seja lá o que isso for). Isso vamos ver no próximo capítulo, quando enfrentaremos o que chamamos de moral ou ética.

CAPÍTULO 13

Moral ou ética

Antes de tudo, um esclarecimento: do ponto de vista da história da filosofia, a diferença entre moral e ética é a mesma que existe entre mesa e *table*. Moral é a tradução latina para a palavra grega original ética. Vou usar as duas como sinônimos. Apesar disso, vale a pena esclarecer o que as pessoas têm em mente quando assumem que existe uma diferença entre elas.

Para a maioria, ética é o campo das normas de conduta, enquanto moral é a parte da filosofia que reflete sobre hábitos e costumes. Ambas são as duas coisas ao mesmo tempo, porque faz parte da reflexão sobre hábitos e costumes pensar sobre as normas que devem regrar esses hábitos e costumes. E mais: não existem hábitos e costumes que não sejam permeados de normas, muitas vezes quase automáticas ou espontâneas.

O que são hábitos e costumes? Generosidade, coragem, justiça, disciplina, entre outros. Para Aristóteles, os bons hábitos e costumes (as tais virtudes) deveriam ser praticados a ponto de se tornarem uma segunda natureza, portanto automáticos ou espontâneos, como eu dizia acima. A escola moral mais antiga é a de Aristóteles, conhecida como moral das virtudes ou do caráter. Para ele, ao longo da vida individual e da vida coletiva dos povos, desenvolvemos hábitos e costumes que nos definem como seres morais. A questão é que esses hábitos e costumes não são tão variados assim como se pensa quando se trata do valor deles para a vida moral de uma pessoa ou grupo. Por exemplo, coragem é coragem e covardia é covardia em qualquer que seja o lugar. Seja no campo de batalha, seja diante do chefe da firma. Generosidade é a mesma coisa, esteja em jogo um prato de comida, esteja em jogo ajudar um colega na faculdade, estejam em jogo alguns milhares de dólares. Para o filósofo grego, desenvolver boas virtudes era como aprender a tocar bem um instrumento. A ética é uma ciência prática, jamais teórica. Não se ensina coragem a não ser se vivendo a coragem. Nesse sentido, a moral não é dependente de nenhum valor do outro mundo ou de Deus; é um esforço das pessoas para vencer vícios e dar condições aos mais jovens de desenvolver melhores hábitos e costumes. Essa é a escola moral que mais aprecio e julgo correta, apesar de que, com a modernidade e as sociedades gigantescas que surgiram, e o anonimato consequente, às vezes fica difícil pensarmos no reconhecimento das virtudes. Virtude é sempre pública, isto é, o outro reconhece em mim a virtude. Nada de marketing do bem nem autoproclamação das próprias virtudes. Quem canta as próprias virtudes é um mentiroso ou orgulhoso.

Ainda no mundo do anonimato e das distâncias nos vínculos, a escola das virtudes me parece muito consistente, sobretudo na era do marketing em que vivemos.

Voltaremos adiante à questão da associação entre marketing e moral, mas, antes, gostaria de dizer que não há consenso sobre o que é ética ou ser ético. Só gente mal informada pensa que existe. Além da escola das virtudes, há duas outras escolas éticas muito importantes. Depois de falar delas, trataremos de alguns aspectos decorrentes desse debate para o mundo contemporâneo nos capítulos a seguir.

A segunda grande escola ética é a de Immanuel Kant, conhecido por ser um racionalista e crer numa possível moral fundamentada em imperativos categóricos (!). Em filosofia, categórico é sinônimo de universal, o que significa que um imperativo deve valer para todo mundo, do contrário não vale para ninguém. Se não valer para todos, não é ético. Kant percebeu que, com a dissolução do mundo medieval rural, no qual as pessoas se conheciam, e a vergonha diante do grupo ou da comunidade exercia um fator de constrangimento no comportamento delas, surgiria a necessidade de outros fundamentos para as normas de conduta. Mesmo o cristianismo (claro que estamos falando da Europa) declinaria como fundamento suficiente do comportamento moral. Seria necessário encontrar uma fundamentação para a moral (entenda: para bons hábitos, costumes e normas) em algum terreno que estivesse ao alcance de todo homem e mulher que pensasse. Esse terreno seria a razão prática, ou seja, um comportamento racional. A evolução natural desse processo seria a transformação da ética numa "província" da lei positiva. Num mundo complexo e gigantesco como o nosso, ética e lei se confundem a fim de tornar a norma sustentável.

Daí Kant supor que se encontrássemos regras (imperativos) universais, poderíamos fundamentar a ética para além dos pequenos povoados tradicionais, em via de desaparecimento por causa do avanço burguês. O burguês, com sua técnica, sua velocidade e seu desprezo pelo passado e pelas crenças religiosas locais e ancestrais, julgava que esses marcadores morais tradicionais atrapalhavam os negócios. A crítica ao preconceito é fruto deste princípio: por que não fazer negócio com negros, judeus ou gays, se todos podem ganhar com isso? Esses imperativos seriam válidos porque teriam de ser bons para todos. Exemplo: ninguém deve mentir. Para Kant, se ninguém mentir, o mundo será melhor porque todos poderão confiar em todos e a vida será transparente. Claro que na prática a ideia não funciona 100% porque só pessoas insensíveis ou mal-educadas dizem a verdade o tempo todo. Faz parte da urbanidade e da elegância social saber que devemos evitar dizer coisas que causem mal-estar desnecessário. Porém, permanece sendo importante que mentir o tempo todo destrói o tecido social e as relações entre os seres humanos. Portanto, dizer a verdade, ainda que não seja possível sempre, deve ser visto como um mecanismo regulatório do comportamento para que possamos ter algum grau de confiança no amor, na família, nas amizades e nos negócios. Alguns acham que também na política, mas eu duvido um tanto disso. De política, falaremos um pouco mais adiante.

Outro exemplo: nunca use um ser humano como meio para algo, apenas como fim. Este nos leva ao conceito de direitos humanos, tão importante na herança da Revolução Francesa, apesar de ela ter sido um terror absoluto... A ideia de Kant não é ruim, apesar de parecer ingênua, e de fato o é. Dizer que não devemos usar um ser humano como meio, mas sim como fim, significa que não podemos fazer dele "uma coisa", mas sim que a sociedade deve tê-lo como fim em tudo o que ela fizer: em outras palavras, o homem é o objetivo supremo da sociedade, e fazer a vida dele menos sofrida deve ser a meta de qualquer sociedade decente. Essa ideia também é um pouco irreal na medida em que as relações de sobrevivência material (e seus escassos recursos) implica que muitos de nós somos meios para que outros, como nossos filhos por exemplo, possam sobreviver. Ou seja, a necessidade econômica (ciência da escassez) implica sermos, muitas vezes, meios para a sobrevivência da sociedade ao longo dos milênios.

Se você quiser entender a validade da ideia de Kant de um modo mais simples, imagine a seguinte situação: pense que você divide a casa com amigos. Agora imagine que um deles se recusa a lavar a louça. Ele não estará sendo ético no sentido kantiano, porque se todos precisam lavar louça, não há por que um deva escapar desse encargo. A melhor forma lógica de colocar o imperativo categórico kantiano é: só é ético o que vale para todos, se não vale para um não é ético. Kant chama atenção para o fato de que se você for chamado a julgar algo em que tem interesse direto em um dos possíveis resultados, abra mão da função de julgar essa situação, uma vez que sua avaliação poderá ser prejudicada por elementos emocionais no processo. Kant via a ética como um campo de prática racional acima de tudo. Ainda que muito longe da realidade comezinha e concreta em que vivemos na realidade, a ética kantiana se sustenta como tentativa moderna essencial de somar esforços para agirmos de modo minimamente racional e levarmos em conta o maior número de pessoas envolvidas no processo, ainda que nem sempre todas de modo ideal. A perda dos vínculos próximos das comunidades pré-modernas, base dos hábitos e costumes que sustentavam a vida dentro de certos trilhos, encontrou na ética kantiana uma tentativa sincera de sustentar a vida a partir daquilo que Kant e outros julgam ser central em nossa vida: a razão. Se eles, os racionalistas, estão certos, é outra coisa. Como eu disse antes, não creio que sejamos seres racionais em sua plenitude. Ao contrário, penso que muitas são as pressões internas e externas sobre nós para que a razão seja a senhora absoluta em nossa vida. E mesmo aqueles que tentam viver puramente pela razão revelam uma tara específica: a tara de eliminar da vida tudo o que não seja limpinho e ordenado. Mesmo a paixão pela razão é, ela mesma, irracional. Mas isso não significa que não haja um valor profundo em tentar tornar a vida menos irracional. É complicado mesmo, sinto muito por aqueles que sonhavam com um mundo melhor à custa da ética. Risadas? Pensar que a ética faz o mundo melhor é para os fracos.

A terceira grande escola é conhecida como utilitarismo, fundada por autores como Jeremy Bentham e John Stuart Mill (este conhecido como o primeiro feminista da filosofia) na virada do século XVIII para o XIX. Essa é a principal escola ética contemporânea, apesar de muitos posarem de kantianos. O princípio utilitarista é o seguinte: o homem foge da dor e busca o prazer ou bem-estar. Não se deve entender aqui prazer como alguma forma de hedonismo moderno do tipo realizar o meu desejo é minha ética (teremos oportunidade de tratar disso).

O bem-estar utilitarista é antes de tudo um bem-estar coletivo, e não individual. Ideias como inclusão e exclusão vão bem no cardápio utilitarista, na medida em que quanto mais pessoas incluídas no bem-estar, mais bem-estar o grupo e seus integrantes experimentarão. A ideia de um bem-estar utilitário individualista é estranho a essa escola ética.

Há uma questão prévia à própria ideia de bem-estar que deve ser dita. Os utilitaristas viam a si mesmos como filósofos radicais, no sentido de levarem em conta o que eles chamavam de recursos da natureza humana – hoje em dia diríamos recursos do comportamento humano. Com isso, eles fundaram uma forma de reflexão ética que podemos chamar de empírica ou comportamental: olhemos os homens antes de criar ideias abstratas sobre o bem e o mal. Segundo esse princípio, de nada adianta definirmos o bem e o mal se não levarmos em conta que o grosso dos seres humanos jamais conseguirá escapar da máxima utilitária: fugimos da dor, buscamos o bem-estar.

No século XX, um utilitarista muito famoso chamado Peter Singer dirá que a máxima original pecava por pensar apenas nos seres que têm consciência da dor, logo, os humanos. Singer defende que os animais, com senciência (espécie de consciência sensorial) da dor, devem ser incluídos na ética utilitária. Esse pressuposto alargado criou a tese do humanismo animal, que discutiremos na sequência.

Os utilitaristas consideram qualquer tentativa de definir o bem em si ou o mal em si como formas de metafísica moral, e por isso inúteis. A observação do comportamento humano e animal revela que nós fugimos sempre da dor quando podemos, e essa fuga foi chamada de escolha racional, no sentido de que é racional (e os animais são racionais, porque sencientes o suficiente para isso) escapar do sofrimento.

As sociedades contemporâneas são bastante utilitárias, ainda que não tenham consciência explícita desse fato. Marx tinha razão quando dizia que o utilitarismo era uma ética para merceeiro inglês, porque o traço burguês é evidente: ser competente em reduzir o sofrimento é parte da proposta de controle da vida que as revoluções burguesas carregam em si.

O utilitarismo implica "cálculos" de comportamento, como dizia Bentham. Para ele, um ato que visa ao bem-estar deve levar em conta coisas como a intensidade, a duração, a fecundidade (um ato que se multiplica em outros causando mais bem-estar do que o primeiro da série), a rapidez do efeito uma vez realizado o ato, a certeza de atingir o alvo em questão e não outro, e, por último, a segurança de que o ato causará bem-estar e não mal-estar. Já para Mill, o ato utilitário deve levar em conta dimensões do humano, tais como racionalidade, imaginação, sentimentos morais e liberdade. A base do utilitarismo é uma sofisticada combinação de observação do comportamento humano em busca de bem-estar e crença na racionalidade de nossas decisões para chegar a esse bem-estar.

Já no início do século XX, Aldous Huxley escreveu o maior panfleto antiutilitário conhecido, *Admirável mundo novo*. Sua distopia de um mundo perfeito é, até hoje, me parece, o que há de melhor em calcular os resultados de uma sociedade que faria a opção pelo racionalismo utilitário de forma definitiva. Vejamos.

Nesse admirável mundo novo, a perfeição de uma sociedade que eliminou o contraditório mostra, ainda que de modo caricatural, seus efeitos colaterais danosos. Seres humanos que optam por uma vida perfeita acabam escravos dessa perfeição. Se o "erro" de Kant é apostar numa razão pura prática (nome técnico da moral em seu livro sobre o tema) que não está ao alcance de um ser humano real confuso e fraco, o "erro" dos utilitários é fruto do que "sobra de acerto" em sua ética: estão certos em dizer que fugimos da dor e buscamos o bem-estar, mas estão errados em achar que podemos construir uma sociedade em cima da busca científica de felicidade. O utilitarismo é um racionalismo burguês. Protocolos necessários na gestão de uma empresa podem causar danos na gestão da vida. As pessoas no livro de Huxley eram umas idiotas fabricadas geneticamente. As pessoas do mundo real são umas idiotas obcecadas pela saúde e pela felicidade. A vida precisa ser um pouco desperdiçada e suja, senão se torna uma natureza-morta perfeita. É isso que Huxley apreendeu ainda nos anos 1930: segundo ele, no futuro pediríamos para ser escravos de procedimentos de saúde e felicidade. E acertou em cheio, não?

O fruto do utilitarismo é o higienismo da liberdade. Huxley traduz o mundo perfeito por uma tragédia da liberdade que se vê limitada a um chiqueirinho de gente grande sempre limpinha. Imagine se um dia disserem que sexo oral causa doenças. Como seria a vida possível sem sexo oral? O risco totalitário do utilitarismo é enorme, como na ética kantiana categórica. Se lá todo mundo deve ser santinho, aqui todo mundo deve ser limpinho. Acho a ética das virtudes de Aristóteles a melhor, porque vê a vida moral como um combate em busca de bons hábitos, sem prescrição de comportamentos que tendem a normas categóricas. Nesse sentido, é a mais humana das três escolas. Nesse sentido, me considero um aristotélico em ética.

E onde ficam os animais nesse negócio? Quais as consequências da aplicação do utilitarismo de Peter Singer aos animais, uma vez que os comemos? Somos uns monstros? Aqui, de novo, o utilitarismo revela sua vocação para uma santidade da higiene perversa da vida.

Sem dúvida, há que defender os animais dos abusos. Sou um apaixonado por cachorros. Sempre levei a sério a máxima de que quem maltrata animais não merece confiança. Mas a vida tem em si um grau de violência que só os maníacos seguidores de Singer parecem não enxergar. Suspeito que sua santidade a favor dos animais é mais fruto de uma personalidade autoritária do que de qualquer bondade. E mais: é mais fácil amar os animais do que os seres humanos, esses traiçoeiros.

O utilitarismo animal (a defesa de que os animais têm senciência da dor e, por isso, devem ser tratados como "gente") sustenta o conceito de "especismo" como analogia ao racismo (o humanismo animal seria seu contrário): achar que animais não merecem as mesmas leis que os humanos é fazer deles escravos, porque seriam considerados uma espécie inferior. Concordo em parte com essa ideia. Ver animais sofrer fere nosso afeto moral. Mas daí a dizer que devemos limpar a vida do sangue que ela mesma despeja no mundo para se manter (proibir a inserção humana na cadeia alimentar, nos condenando a uma vida de alface e tomates) me parece uma ideia idiota e típica de tiranos disfarçados de gente que ama os animais. A vida é bela, violenta e imunda, não há como fugir disso sem eliminar a própria vida. A normatividade moral sempre foi um dos terrenos em que almas violentas e autoritárias se sentem em casa. Os puritanos cristãos dos séculos

XVI e XVII e os puritanos políticos dos séculos XX e XXI (os politicamente corretos) são esse tipo de gente violenta e autoritária.

O tema é interminável. Dedicaremos mais alguns capítulos a alguns desdobramentos dele, com uma cara mais contemporânea.

CAPÍTULO 14

A ética dos valores

O que são valores morais? Todo mundo fala, mas ninguém sabe ao certo. Uma dica: quando você ouvir alguém falando muito de valores isso, valores aquilo, cuidado! Ele vai bater sua carteira (excluí o "ela" aqui porque não acho que as mulheres costumam ser tão criminosas como os homens, e, quando o são, o dano moral é sempre maior para elas). Outro papo comum hoje sobre o tema valores é: "Ninguém hoje tem mais valores". O interessante dessa ladainha é que, ao mesmo tempo, quem lamenta a morte dos valores é o mesmo que acha que tudo deve ser novo e dissociado do passado. Valores só existem quando existem condutas bem marcadas por expectativas sociais que herdamos para além de nossa vontade. Essa moçada pensa que valores são coisas que você escolhe como um desodorante ou uma banda de música.

Quando se fala em valores morais se quer dizer coisas como honestidade, fidelidade, sinceridade, trabalho, liberdade, coisas assim. A filosofia moral começa a falar em valores a partir do século XIX, no sentido de marcas positivas de comportamento que se somariam ao convívio humano ou tornariam a vida menos sofrida. Valores morais são cultivados por uma sociedade ou uma tradição ao longo do tempo. Pode-se dizer, por exemplo, que a caridade é um valor cristão, porque os cristãos e seus textos sagrados a valorizam como comportamento positivo. Ao contrário, a usura não seria um valor cristão, porque seria desvalorizada ou valorizada de modo negativo pelos cristãos e seus textos sagrados.

O filósofo que mais falou desses valores foi o próprio Nietzsche, para dizer que eram uma criação dos fracos para controlar os fortes, porque estes eram fonte de valor para si mesmos. Isso significa que esse homem nietzschiano, o super-homem, não precisa de marcas de comportamento exteriores a ele, e que essas marcas sejam criadas pela sociedade para controlá-lo. Para o romântico alemão, a força, a coragem, a espontaneidade são valores que brotam da força interna do homem ou da mulher, que são superiores. Essa força interna é a vontade de potência de que tanto fala Nietzsche.

No mundo contemporâneo, a herança nietzschiana, principalmente de corte francês, em filósofos como

Gilles Deleuze e Michel Foucault, e o caráter relativo dos valores ficaram expostos, e, portanto, sua validade é relativa a tempo e espaço específicos. Se formos para trás um pouco no tempo, e chegarmos ao século XVII, em filósofos como Blaise Pascal, ou no XVI, em Michel de Montaigne, ambos carregados de teor cético em seus argumentos, ou mais atrás ainda, e formos aos últimos séculos da era pré-cristã na Grécia, e ouvirmos as vozes dos sofistas e céticos, veremos que todos eles, apesar de não usarem a expressão valores, sempre foram relativistas. Pascal chega a afirmar que, se o nariz de Cleópatra fosse outro, a história do mundo seria outra. Logo, os valores seriam outros.

O problema da ética dos valores é que ela é, no fundo, uma ética que pressupõe tradições históricas que se impõem às pessoas que nelas vivem. A modernidade, e seu ódio à ideia de tradição e permanência no tempo, anseia por valores, mas é arredia à própria ideia de valores morais, porque os considera opressores. A paixão pelo novo, traço brega da modernidade, a impede que valorize qualquer noção de passado, e os valores, para funcionar, precisam estar ancorados numa experiência de perenidade.

Entretanto, não duvide que existam valores no mundo contemporâneo, e posso dar alguns exemplos deles: eficácia, objetividade, produtividade. Você já imaginou recusá-los? Como é a vida de alguém que não aceita esses valores? Boa sorte se você quiser fazer a experiência. É assim, sentindo o peso dos valores, que você percebe o que são os valores de uma cultura. Os bonitinhos de nosso mundo gostam de posar de valores éticos, mas a ética deles é mesmo a do sucesso, da vaidade e da eficácia. Suspeito que nunca existiu uma época tão ridícula como a nossa em sua farsa ética.

CAPÍTULO 15

Hedonismo

A palavra hedonismo é sua conhecida. Você deve entendê-la mais ou menos assim: viver segundo o prazer. Ou viver realizando meus desejos. Ou terapia de shopping. Ou comer todas as gostosas do mundo. Ou ser a mais gostosa do mundo. Se você entender essa palavra dessa forma, o faz pela transformação radical de significado pela qual ela passou desde que foi usada pela primeira vez na Grécia antiga. *Hedone* em grego antigo significa prazer. A questão é: o que queria dizer prazer para um filósofo como Epicuro na Antiguidade grega?

Para os gregos, as paixões e os desejos eram tormentos. A ética buscava o repouso, a tranquilidade da alma, a ausência de paixões e desejos. Isso eles chamavam de *hedone*. O *pathos* (paixão, doença, sofrimento) era aquilo a ser evitado. Dito de forma direta: prazer era não ter desejos nem paixões. Era viver com o mínimo. Algo meio parecido com o que hoje se chamaria ser zen no sentido comum da palavra, uma pessoa que domou os desejos e superou os apegos sensoriais do gozo da vida. A ideia é que desejar implica escravidão. A ideia não é absurda e tampouco distante do nosso mundo contemporâneo, em que somos mesmo escravos do desejo, mas não chamamos esse estado de desapego de prazer. Prazer, para nós, é realizar nossos desejos, é ser apegado ao desejo e às paixões, o que para um grego era querer viver no inferno.

A distância entre nosso prazer e o deles é enorme, e aponta para toda uma concepção distinta de vida e de valores. Eles queriam paz num mundo que não era pautado pela produção crescente e alucinada como o nosso. É aí que reside toda a diferença. A riqueza material de nosso mundo nos condena ao crescimento alucinado de nossas necessidades e nossos desejos. Então, quando se fala em hedonismo hoje estamos muito longe da origem do termo. O excesso de demandas ao nosso desejo nos torna capazes de entender o que era prazer para um grego, mesmo que chamemos isso de ser desapegado ou meio espiritualizado. A verdade é que o inferno do desejo continua sendo algo que conseguimos entender até hoje. A sociedade de mercado em que vivemos é sustentada num contínuo desejo insatisfeito, do contrário a economia para.

Quanto ao hedonismo para nós, ele acabou por assumir uma ideia de ter uma vida estética, no sentido de autores como Nietzsche, Kierkegaard ou Camus – ou seja, o sentido da vida é gozar dela, já que não há garantia de nada além da vida no mundo em que vivemos. A palavra estética, aqui, nada tem a ver com arte, mas sim com sensação (seu sentido originário em grego antigo). Ter uma vida estética é buscar viver sentindo as coisas gostosas da vida: sexo, comida, bebida, viagens, consumo, e coisas assim. Muitos criticarão a vida estética, inclusive o próprio Kierkegaard (ele a chamava de dom-juanismo, em referência ao personagem que seduzia milhares de mulheres sem conseguir ter prazer definitivo com nenhuma delas), na medida em que a vida estética fracassaria porque nos levaria ao tédio. Você não acha, em alguma medida, aplicável a quem acredita que viver dependendo do consumo pode levar ao tédio?

O problema do hedonismo contemporâneo é em que medida ele não nos leva de volta à escravidão do desejo, como temiam os gregos; a um prazer efêmero e dependente do mundo a sua volta... enfim, quantas vezes você já tentou esquecer os sofrimentos da vida transando, ou comprando, ou bebendo? Funcionou? Para apreciadores do sexo frágil e dos prazeres que ele carrega entre suas pernas, pode valer a pena...

CAPÍTULO 16

Marketing de comportamento ou marketing moral

Há uma novidade no mundo contemporâneo em relação ao tema da moral. Primeiro, é usar a expressão comportamento em vez de costumes ou hábitos (objetos clássicos da ética). É mais chique falar em comportamento do que em ética. Em certo sentido até faz sentido (repetição proposital), porque a palavra ética, hoje em dia, é, como a palavra energia, melhor que seja evitada porque todo mundo fala, mas ninguém sabe o que é.

Há algo mais nessa ideia de marketing de comportamento. A substância da moral pública sempre foi a hipocrisia, portanto não há nada de novo em se tentar fingir virtudes que não se tem. Mas, hoje, perdeu-se essa consciência de que toda moral pública é hipócrita na sua essência, e, por isso, as pessoas que fingem ser do bem não são percebidas como hipócritas. Nunca na história da humanidade fomos tão mentirosos como hoje. A ideia de que fazer propaganda da própria virtude (os corretinhos do mundo) possa ser levada a sério é ridícula.

Por exemplo, fala-se de uma nova consciência dos jovens com relação ao trabalho (a geração Y e a Z só aceitam trabalhar em algo que faça sentido para elas) quando na realidade a busca de um trabalho significativo sempre foi para poucos ricos, ou corajosos, ou loucos. Nada mudou em relação ao trabalho; trabalha-se para ganhar a vida. Mas os bonitinhos ficam inventando que existe uma nova consciência em relação ao trabalho e ganham grana com essa bobagem, discursando em universidades, empresas e na mídia. Outro exemplo é essa gente que fala do capitalismo consciente e que o lucro não será o principal valor de uma empresa no século XXI. Imagine se o seu patrão parar de ter lucro. Ele para de pagar o seu salário.

Como o mundo contemporâneo é a civilização mais escrava da aparência que já existiu no mundo (o marketing como paradigma de mundo é isso), perdemos a capacidade de lembrar que toda moral pública é hipócrita. O dano que os intelectuais causaram, grosso modo a partir do final do século XVII, se transformando no clero salvacionista do mundo, se fazendo de "pregadores da boa-nova" no lugar dos padres e pastores, foi enorme. Os intelectuais (e acadêmicos e professores em geral) são uma das classes mais corruptas moralmente de nossa época, querendo fazer parte dos governos para ganhar os restos da sua mesa de jantar. Os mais aplicados viram intelectuais orgânicos de partidos e ganham cargos na administração. Quando um intelectual abraça uma causa, passa a ser um picareta. Basta ver no tom indignado com o qual fala ou escreve sobre como o mundo deveria ouvi-lo, e você saberá que está diante de um picareta do pensamento.

A incapacidade de lembrar que toda moral pública é uma farsa tem a ver também com a democracia e sua idealização de transparência (basta falar a palavra democracia e você estará a salvo, a favor do povo), mas isso vamos ver quando falarmos de política.

CAPÍTULO 17

Democracia, a palavra mágica da política contemporânea

Não tenho muita paciência para política. Como sempre digo, trato dela assim como quem cuida de uma ferida para que não infeccione. A necessidade da política é a prova de que a humanidade tem dificuldade em sobreviver: não pode viver sem bando; para viver em bando alguém tem de mandar e alguém tem de obedecer. Ainda que mentirosos de todos os tipos digam o contrário.

A forma por essência da política contemporânea é a democracia. Por ter sua soberania na chamada vontade popular ou no povo, a democracia deságua na crença de que a sociedade carrega em si alguma forma de verdade moral, já que ela é soberana. Esquece-se, como eu dizia antes, que toda moral pública é hipócrita. Dito de outro modo, o público é hipócrita e nada tem a ver com ideia alguma de verdade. Na democracia, o que importa é a maioria e não a verdade sobre coisa alguma. Mas isso Platão já sabia: o motivo de a democracia esconder a hipocrisia da moral pública é porque a democracia é sofista.

Em seu embate com os sofistas (aqueles caras que diziam que a verdade não existe porque ela é apenas a vitória de um argumento sobre o outro, portanto, retórica), Platão já apontava a tendência de a democracia ser demagógica.

Antes que algum inteligentinho perdido na leitura deste livro me acuse de antidemocrático, devo dizer que a democracia é, de todos os regimes ruins em política, o menos pior, com certeza. E para manter essa "vantagem" da democracia sobre seus sistemas competidores, devemos lembrar suas fraquezas, coisa que o povo na democracia, como já dizia Alexis de Tocqueville no século XIX em sua visita aos Estados Unidos, não gosta de ouvir porque a democracia na democracia é um dogma a ser amado.

Voltando a Platão: o problema, aqui, é que num regime pautado por opiniões variadas, e pela contagem delas, o essencial é o número. A democracia é um regime de quantidades, e os idiotas (como dizia nosso brilhante Nelson Rodrigues) são sempre maioria. Uma das faces dessa idiotice é supor que a transparência na gestão da coisa pública, algo desejável num governo, implique a transparência da verdade moral. Sempre que se afirma um valor em público, essa afirmação é, em grande medida, uma farsa a serviço do resultado esperado em termos de contagem de votos a favor ou contra o que você quer.

Outro motivo para a democracia ser parceira da hipocrisia pública é sua dependência da adulação da opinião pública. Isso afeta desde os candidatos numa eleição (política agora é marketing) até artistas que vendem música: todos devem adular a opinião pública se quiserem conseguir o que almejam – a saber, o sucesso. Essa opinião pública nem sempre é só uma questão de números grandes; muitas vezes é uma questão de quem consegue influenciar mais pessoas. Os tais fazedores de opinião, como eu. Quando você lê este livro, eu estou, em alguma medida, influenciando sua opinião. A diferença entre mim e outro qualquer é que eu não tenho nenhuma causa, e isso me torna, de certa forma, um pouco menos retórico no que escrevo e falo. Num mundo em que todos concordam em ser bons, há sempre algo errado. Por isso, não faço filosofia para realizar bem algum; faço porque gosto.

Essa dependência da opinião pública, que leva todos a adular os idiotas, faz da democracia um simples regime de mercado. Ela é, na verdade, um mercado de opiniões a serem defendidas (compradas) ou recusadas (não compradas). A tendência da mentira na democracia é, no limite, uma tendência ao marketing.

O que conta na democracia é a aparência. Não por acaso os defensores dela na Grécia eram os sofistas, os mesmos caras que, como eu disse antes, negavam a existência de qualquer verdade e reduziam o conhecimento à retórica. Então, quando ouço alguém gritar contra a mentira na democracia, sempre sinto um cheiro de Papai Noel no ar.

CAPÍTULO 18

A política como salvação

No século XVIII, o filósofo Jean-Jacques Rousseau criou a política moderna e contemporânea em grande parte. Não estou dizendo que ele tenha sido o maior filósofo da política – ao contrário, julgo-o um dos primeiros intelectuais picaretas da história. Estou dizendo que ele foi importante no modo como a política moderna e contemporânea se constituiu. O mundo atual vê a política como uma teoria da salvação do mundo. Alguns descrevem esse fato dizendo que a política se fez teologia. Não é por outra razão que idiotas de todos os matizes intelectuais gostam e usam a palavra utopia como se ela descrevesse algo distinto de um *resort* numa praia imaginária. Levar a sério uma utopia política é um atestado de retardo mental ou mau-caratismo. Mas voltemos às implicações de uma política como instrumento de salvação.

Antes de tudo, o que é política? Assumo, aqui, uma visão mais maquiaveliana (Maquiavel, filósofo italiano da virada do século XV para o XVI). Política é a arte de conquistar, manter, ampliar ou destruir o poder. E, assim fazendo, tornar a vida dos seus súditos mais ou menos instável. Ponto final. Uma engenharia de algum tipo, descolada de qualquer idealização. O bem político é uma sociedade em que o poder está organizado de forma tal que as pessoas andam razoavelmente bem nas ruas. Não há um bem moral de qualquer tipo na política. A política não deve discutir modelos de sociedade, a política deve organizar essa coisa violenta chamada poder. Na democracia, a política deve levar em conta a opinião popular (já falamos disso antes). Parece-me importante que as pessoas possam ser protegidas do poder do Poder, e isso só se alcança dividindo institucionalmente o Poder, como dizia o francês Montesquieu no século XVIII. E quando o Poder se identifica com o bem moral, normalmente ele entende que qualquer divisão nele é uma redução de sua capacidade de realizar o bem que carrega em si. E aí chegamos à política de Rousseau e seu caráter salvacionista.

Não se deve esperar da política um mundo melhor. Deve-se esperar um mundo em que o Poder fique tão controlado que ele nos deixe em paz e nem lembremos dele ao acordar. Ele deve cuidar de coisas técnicas e deixar que a sociedade cuide do restante. Mas, como vemos em muitos casos desde o final do século XVIII, a política se transformou no "lugar" de onde virá a salvação. Toda vez que a política deve curar o mundo (como a graça de Deus na teologia, por isso dizemos que a política tomou o lugar da graça), ela é temerária, porque seu instrumento e objeto por excelência, o poder, é sagrado em sua função redentora. Assim como um Deus todo-poderoso pode ser um poder perigoso, a política endeusada como divina se torna maléfica.

Não vejo muita saída para isso. O mundo contemporâneo da democracia tem uma vocação para ser devorado pela política como linguagem das coisas. Tudo é política porque em tudo há poder – como diria Michel Foucault. Na minha opinião, Foucault era um autoritário, como todo filósofo que traz a verdade libertadora do mundo em sua cabeça, mas que ele tinha razão ao apontar a capilaridade do poder nas relações, ele tinha. E sendo a política na democracia, em parte, construída na conversa entre as pessoas (Tocqueville dizia que a democracia é tagarela), não há como escapar da política no mundo contemporâneo e sua vida passar por ela. Autores como o próprio Tocqueville, Montesquieu e Maquiavel (ambos citados também há pouco), Locke (século XVII), Oakeshott (século XX) discutem a importância da política sem fazer dela um credo, como Rousseau, Marx, Foucault, Bourdieu, Badiou e outros membros do clero. O risco da política como salvação total é que ela vai degenerar em violência sagrada. Melhor lidar com a fragilidade de um sistema que depende da opinião de idiotas do que lidar com um regime em que idiotas não aceitam a opinião dos outros porque supõem que carregam um mundo melhor na barriga.

Observe uma coisa: todo filósofo ou similar que julga ser o sacerdote da política redentora é arrogante. Não é à toa que Edmund Burke, no final do século XVIII, chamava Rousseau (o pai da política como teologia) de o "filósofo da vaidade". Assim como o clero cristão era vaidoso em se achar mais perto de Deus, o clero intelectual fazendo política salvacionista é vaidoso. Não confie em ninguém que queira salvar o mundo. Melhor confiar em grandes pecadores.

Por isso tudo, como diz Michael Oakeshott, filósofo inglês do século XX, prefiro políticos sem concepção de como deve ser o mundo. A pior coisa é um líder político que queira me salvar.

CAPÍTULO 19

Não há nada mais sem rumo do que a educação contemporânea

Certa feita, durante uma festa de fim de ano numa das instituições em que sou professor, uma colega, um tanto chocada com o que eu dizia sobre a educação, me perguntou: "Como assim, você não acredita na educação? Então por que dá aula?".

Respondi à minha assustada colega que dava aulas por vício: me divirto dando aula (o que em filosofia significa que dou aulas por razões estéticas, ou seja, porque me sinto bem fazendo isso, logo, porque gosto). O choque na mesa foi geral. Vou explicar melhor essa passagem para você entender, porque acho que você devia tomar muito cuidado com os professores e coordenadores das escolas de seus filhos.

O projeto de educação mais antigo conhecido é o de Platão, autor de *A república* (em grego *Politeia*). Nessa cidade ideal, nessa mãe de todas as utopias, jovens nobres eram educados em música, ginástica e filosofia. Os melhores meninos eram escolhidos para cruzar com as melhores meninas, a fim de gerar uma bela geração, biologicamente falando. Em grego antigo se dizia "eu (belo) genia (geração)". O nome que Platão dá ao processo educacional é paideia, que para os gregos queria dizer formação.

Essa ideia de formação grega vingou ao longo dos séculos. Sem entrar em pormenores históricos obsessivos, porque meu nome não é Google, chegamos, via universalização da educação, a partir do fim do século XVIII iluminista, ao nosso tempo e às escolas por aí.

Uma função que as escolas têm, mas de que ninguém precisa falar muito, é ocupar as crianças. Com o mundo contemporâneo e a atomização das famílias (ninguém está nem aí para pais, irmãos, primos, tios, avós, e vice-versa) – em alguns casos chegando à família mononuclear, um genitor responsável e uma criança ou duas –, ocupar o filho se tornou essencial, já que nem a mulher quer ficar tomando conta do rebento (claro que existem exceções, que servem só para reforçar a regra). O resultado é que, por exemplo, greves de professores de escolas públicas só são sentidas depois de muito tempo e quando as alternativas para as mães irem trabalhar já se esgotaram. Logo, escolas são, também, depósitos de crianças para que os pais vivam. Feio? É, sim, feio, mas não escrevi este livro para fazer marketing de comportamento para você.

Existe uma exceção importante à atomização das famílias: além dos pobres, por falta de opção (melhora de vida implica individualismo e atomização), as mulheres religiosas de adesão estrita fogem bastante do perfil da mulher contemporânea, cuja taxa de fertilidade em países ricos chega a 1,2 filho por mulher contra cerca de 8,1 filhos por mulher muçulmana na Europa.

Mas voltando ao nosso foco: por que a educação, e sua "ciência", a pedagogia, está sem rumo? Quando eu relatava minha conversa com minha colega, o que eu queria dizer era que um certo ceticismo com professores que juram amor à fé na educação deve ser cultivado. Você poderá ouvi-lo jurar amor à educação e falar mal de seus alunos. Como dizia Edmund Burke acerca de gente como Rousseau (vamos ter de falar dele aqui de novo) e os jacobinos: "Gente que ama a humanidade mas detesta seu semelhante". Professor que diz crer na educação crê na humanidade, mas não nos alunos.

Não é fácil crer nos alunos; é mais fácil crer na humanidade porque essa é uma abstração que cabe em qualquer teoria feita pelos ungidos, classe de intelectuais e acadêmicos definida pelo economista americano Thomas Sowell como "aqueles que acham que sabem mais do que todo mundo em todos os tempos". Por isso, o marketing de comportamento é humanista: tudo é aparência e oco. A realidade é que alunos enchem o saco muitas vezes, ainda mais hoje que a escola de nível médio é uma porcaria cheia de autoajuda (o aluno deve aprender a se amar, acima de tudo) e blá-blá-blá de cidadania. Nada sabem sobre geografia, mas cultuam mandioca indígena e transexuais. Os alunos chegam à universidade sabendo nada, lendo nada, tendo uma opinião sobre tudo. Todos vão mudar o mundo para melhor, e os outros não querem saber de muita coisa. Claro, existem as exceções. E aí está o gosto de quem se diverte vendo nos olhos de um aluno a descoberta de que Shakespeare sabe mais acerca do homem do que ele ou seu professor de história que ensinou que o Brasil foi "roubado" dos santos *Native Americans*.

A cada hora se descobre uma teoria nova sobre facilitação, negação da hierarquia ou salvação da lavoura graças a essa "invenção nova", o computador. O que move a educação, hoje, além do fato de ser um business, é reduzir a atividade quase a zero e fazer com que o professor deixe de existir (em alguns casos nem acho que seria tão mau assim!). Dizer para um professor que ele deve "construir" a aula junto com o aluno é dar a ele autorização para não ter de preparar aula nenhuma.

Além de tudo, professor, em grande maioria, é gente que ganha mal e perde o tesão, com o tempo, pelo que faz, mas a pose é essencial nesse ramo. E crer na educação é excelente para manter a imagem. Falar mal dos alunos, ao mesmo tempo que pregar para eles bobagens, ajuda a passar o tempo. No final, a vida é, em muito, como passar o tempo sem se desesperar.

Muita gente fala que educação é uma questão de valores. Eu acho que educação é ajudar os mais jovens a enfrentar essa humanidade desorientada que habita em cada um de nós.

Infelizmente, o que ocorre é que picaretas escrevem livros de como o mundo é lindo e de como os homens são lindos, todo mundo fica feliz, o professor esquece a chatice da sala de aula, e mais um ano se passa.

E o que Rousseau tem a ver com isso? Assim como ele criou a política como redenção, ele criou a ideia de que o homem é bom em si e a educação é o lugar em que essa bondade pode aflorar se não atrapalharmos muito (leia o livro *Emílio, ou da educação* escrito por ele). Incrível como gente que lida com gente todo dia pode repetir uma bobagem dessa. Crianças são como todo mundo: generosas às vezes, invejosas muitas vezes, violentas se tiverem razão para isso, amorosas seletivamente. Se você deixar, o caos toma conta. Esse caos que carregamos dentro de nós e que combatemos dia a dia.

A única salvação da educação é que as bobagens que seus teóricos e coordenadores inventam têm pouco efeito sobre os alunos – aliás, como tudo o mais na educação. As coisas acontecem sem que saibamos muito bem como acontecem, nem conhecemos suas causas eficientes (como se diz em filosofia para se referir ao que faz algo acontecer de fato). Mas continuo achando que ela é importante, no mínimo como espaço institucional, em que os jovens se batem com eles mesmos e com seus semelhantes. Aqueles mesmos que são difíceis de amar, como dizia Burke.

CAPÍTULO 20

A ciência triste da economia

A economia é uma ciência triste. Experimente falar de dinheiro com sua mulher para ver como ela vai ficar triste. Sim, se uma mulher for a responsável pela grana, o marido também ficará triste se ela trouxer o tempo todo a referência do quanto as coisas custam. Não é uma questão de gênero, como falam os chatinhos e as chatinhas de hoje em dia.

A economia é uma ciência triste porque é a ciência da escassez. Os recursos a nossa mão são sempre menores do que aquilo que queremos. Toda dona de casa sabe disso: o supermercado é a prova de que os recursos são caros e raros. As donas de casa deveriam decidir nossa economia. Exagero o argumento para lembrar aos inteligentinhos que a economia nada tem a ver com delírios socialistas de justiça social, mas com a lista de supermercado que não cabe no seu bolso.

Claro, existe gente boba por aí que acha que os índios poderiam nos ensinar a viver da terra. Incrível como antropólogos cultos e capazes podem acreditar que um modo de vida neolítico poderia acolher 7 bilhões de pessoas. O que esses caras não podem confessar é que, além de pegar bem na fita dizer coisas assim ("o mundo é cheio de coisa inútil", o que é bem verdade), porque alimenta o tal marketing de comportamento de que falei antes, para viver como os índios teríamos que matar, no mínimo, nove décimos da humanidade inteira. Mas, como sempre, esses ungidos podem falar o que quiserem, porque falam para seus seguidores e crentes.

A única forma de fazer um mundo indígena é destruir a liberdade de todos que não aceitarem falar tupinambá.

Não, não dá para todo mundo ser feliz e ter tudo. As pessoas querem o que elas querem o tempo todo. A vida enriqueceu materialmente desde o século XVIII de modo assustador. Para manter essa felicidade no ar e nas prateleiras se faz necessário cada vez produzir mais. Por isso que bobos de todos os tipos afirmam que a saída seria diminuir o crescimento econômico. O problema é que esse bobo não confessa que o que ele quer é que todo mundo lhe obedeça.

Concordo que nosso mundo é um mundo besta em muitas coisas (teremos tempo de falar disso), mas ninguém aceitaria, por exemplo, que parássemos os avanços da medicina ou da produção de alimentos (orgânicos ou não). Quase tudo é uma farsa naqueles que negam a tristeza da escassez que nos assola.

E essa escassez é também fisiológica: somos frágeis, mortais. Escassez psicológica: dependemos de recursos afetivos a nossa volta.

A afirmação mais profunda acerca da escassez que nos assola e nos determina foi feita por Nelson Rodrigues: "Dinheiro compra até amor verdadeiro". O afeto verdadeiro responde à melhoria das condições materiais. Claro, não é 100% que dê certo, mas nada é 100%. Não dará, se você disser isso a quem você quer que o ame. Lembre-se do que eu disse no início deste capítulo: você entristecerá sua mulher se falar de grana o tempo todo com ela, porque lembrar o custo das coisas torna a vida triste. Se tivéssemos todos os recursos que queremos para fazer o que quiséssemos, então, sim, o mundo seria um paraíso.

Quando você tiver alguma dúvida sobre isso, procure se informar sobre como inventários familiares, não importa o tamanho do patrimônio, revelam a tristeza que assola nossa humanidade.

CAPÍTULO 21

A economia alegre, a economia solidária

Falei no capítulo anterior sobre os inteligentinhos e sua negação de que a vida econômica esteja mais para lista de supermercado que não cabe no bolso do que para discussões sobre justiça social. Falei também sobre antropólogos e afins que afirmam que deveríamos viver como índios: 7 bilhões de índios vivendo da terra, mas querendo iPhone...

Existe um produto na praça que afirma que há um modo de a economia ser "alegre": trata-se da chamada economia solidária. O que vem a ser isso? Simples: é um papo de gente que não é responsável por nada na vida além de suas próprias férias e sua bike.

Existe "solidariedade" em troca de apartamentos via sites especializados, por exemplo. O perfil é de gente com baixo investimento em dependentes. Difícil é ter economia solidária com seguro-saúde do filho ou compra de casa para morar. Para férias vai bem, ou partilhar uma pizza. Por que a tal da economia solidária faz tanto barulho? Porque ela alimenta, de novo, o marketing de comportamento, essa necessidade monstruosa que nós, contemporâneos, temos de achar que somos legais e melhores que as gerações passadas, e que, por nós, nunca haveria guerra no mundo e todos dividiriam suas posses. Nem mesmo dinheiro seria necessário, bastaria boa vontade.

Um exemplo de economia solidária são espaços artísticos em rede ou coletivos. Estão todos quebrando porque na hora de pagar o aluguel o que conta é quem paga ou não paga.

A economia é triste porque a vida é triste na sua sustentação econômica, mas como nossa cultura é meio retardada, devido a essa dependência de autoestima que temos, tentamos negar isso, afirmando que se artistas desconhecidos dividissem latas de tinta num espaço malcuidado, é porque o outro mundo seria possível. Haja saco.

Esse conjunto de comportamentos que nega a tristeza como um traço indelével da existência, que tenta afirmar que tudo ficará bem se formos todos índios ou artistas coletivos, será objeto de nossa atenção nos capítulos seguintes, sob a rubrica "o que é o contemporâneo"? E, ao longo da terceira parte deste livro, tentarei deixar claro para você, meu caro leitor, o porquê de eu achar nossa época a mais ridícula que já existiu.

PARTE III

Por que acho o mundo contemporâneo ridículo?

CAPÍTULO 22

O contemporâneo, o que é isso?

O termo contemporâneo se refere, a princípio, a um período histórico (era contemporânea) pós-Revolução Francesa (1789). Os americanos consideram a era contemporânea o período pós-revolução americana (1776). De início, tratava-se de uma divisão didática do tempo histórico, como Idade Antiga, Idade Média. Alguns historiadores, hoje, questionam essa divisão dizendo, com razão, que ela é bastante esquemática, e não se pode dividir a história em períodos assim, o que é bem óbvio.

Quando se usa a expressão contemporâneo não se quer falar de um período histórico (claro que o termo continua a se aplicar à nossa época atual), mas de um modo de ser, um modo de viver, ou seja, aplica-se a um conjunto de características que marcaria a nossa época, e tem mais a ver com um tipo de comportamento do que com um período de tempo específico. Por isso, pode-se dizer que um país como o Brasil tem lugares que são mais contemporâneos que outros.

Uma forma fácil de entender o uso dessa expressão é ver como a utilizamos como adjetivo em alguns casos. O adjetivo contemporâneo é usado muitas vezes para um estilo de restaurante. Um restaurante contemporâneo é um lugar descolado, chique sem ser presunçoso. Não só pela comida, mas pela decoração ou cenário, e, acima de tudo, pelo tipo de pessoa que o frequenta e trabalha nele.

A analogia com um restaurante é didática tanto para o bem quanto para o mal. Toda forma didática de explicar uma coisa implica a perda de nuances (lado negativo) e, ao mesmo tempo, o modo urgente de esclarecer uma coisa (lado positivo) para gente contemporânea que está sempre com pressa, não porque ela seja uma desgraçada, mas porque tem um mundo que espera por ela para acontecer. Logo, se ninguém espera por você para que aconteça alguma coisa é porque você está meio mal...

Voltando ao restaurante. Menu variado, de vários países, mistura de sabores. Se tiver caça no meio, melhor ainda. Não pode faltar comida para gente chatinha que tem medo de comer qualquer coisa que não seja verde e que tenha sangue nas veias. O ambiente deve ser meio apertadinho para que as pessoas rocem umas nas outras e fiquem, de repente, com um pouco de tesão. Música, jamais nacional. Música nacional deixa tudo com ar de escola de samba. Brega, mesmo que muito europeu adore quando está bêbado. A música pode ser uma mistura de jazz, blues e uma pitada de clássico. O pessoal que serve deve estar de preto e branco, deve ser jovem, e também gente que você comeria se pudesse. Acima de tudo, deve ser simpático, mas jamais dando a ideia de que você é de classe social acima da dele. Todos trabalham ali para pagar o curso de teatro ou a faculdade, porque não querem pedir grana para os pais – mesmo que sejam duros, devem parecer que trabalham lá por opção, já que o mundo contemporâneo é obcecado por esse mito chamado escolha. E esses jovens jamais devem dar trela para o cliente. Um ar *blasé* é essencial para qualquer pessoal que seja (ou queira parecer) chique. Tanto o menu quanto a carta de vinhos devem ser curtos. Muita opção num restaurante é brega. Jamais fotos dos pratos – isso é para restaurante que serve analfabetos. O *chef* deve ser famoso e ter um nome pouco comum. Até pode ser Raimundo, mas só se for Raimundo Dupré, ou algo assim. Outra coisa essencial: esses restaurantes nunca devem usar iPads ou celulares para anotar os pedidos. Fim da picada de terceiro-mundismo.

Existe uma versão feia do contemporâneo em termos de restaurante: a famosa praça de alimentação, um lugar que você jamais deve frequentar por opção. Se frequentar é porque já não tem muita opção na vida. Nada mais deprimente do que mesas grandes com gente da firma na hora do almoço. Caras com cara de derrotados, minas com cara de quem jamais perderá peso. Caras que nem se aventurariam a comer uma das colegas de trabalho. Minas que sonhariam que alguém quisesse comê-las no trabalho, mas que nunca vai rolar. Praça de alimentação onde você vê comida japonesa, mexicana, chinesa, da fazenda, e também hambúrgueres (deixando aquele cheiro de cozinha suja no ar). Mesmo que na praça tenha um balcãozinho de comida baiana, ainda é triste.

A analogia com restaurantes nos ajuda porque mostra muito o que significa ser contemporâneo: muita coisa diferente junto uma da outra, com os incômodos e as soluções descoladas para isso. A pressa é a marca essencial do contemporâneo. A forma ideal de vivê-la é com leveza. Como se a pressa fosse um elemento da natureza. Como você a enfrenta diz muito de onde você está na cadeia alimentar desse mundo.

Os capítulos seguintes serão dedicados a algumas das características desse mundo contemporâneo e de como podemos pensá-las a partir de uma filosofia do martelo.

CAPÍTULO 23

A cadeia alimentar como modelo profundo da vida social

O mundo contemporâneo é violento, apesar de muita gente posar de *blasé* nele. A violência advém da fluidez (ou do líquido que marca o mundo atual, nos termos do sociólogo Zygmunt Bauman) que permeia todas as relações. Tudo é *commodity* e pode ser vendido, inclusive você. Não se engane: se ninguém quiser consumi-lo não é porque você venceu a "mercadoria" que permeia o mundo do capitalismo tardio, como diz o filósofo Theodor Adorno no século XX, mas porque você não vale nada. A diferença é o valor de uso que você tem em cada um dos mercados em que atua (não há relativismo de valores de fato; o dinheiro é o único valor que não é relativo entre nós). O valor profissional é o mais evidente. Por exemplo, se você trabalha no que gosta, seu lugar na cadeia alimentar é sempre especial porque o fato de optar pelo trabalho que tem já diz que você tem poder de barganha nas relações profissionais, por isso a moçada picareta do capitalismo consciente – da qual falei antes – gosta de dizer que buscar significado no trabalho é uma marca revolucionária dos jovens. Coisa nenhuma: viver experimentando significado na vida (coisa que os românticos já tinham falado no final do século XVIII, como eu disse anteriormente) é um luxo na cadeia alimentar contemporânea. E por uma razão simples: como vimos antes, a busca de significado na vida é o "x" da questão humana. Num mundo marcado pela produtividade como o nosso, quem produz experimentando significado na atividade que exerce já está bem na cadeia alimentar. Está mais para leão que para coelhinho.

Perceber o mundo como cadeia alimentar é percebê-lo numa chave darwinista. Aprecio muito o darwinismo, entre outras razões, porque considero o Alto Paleolítico (cerca de 30 mil anos atrás) o período áureo da humanidade. Éramos poucos, com uma logística leve, sem luxos e organizações políticas complexas, conhecíamos muito mais nossas necessidades, e éramos muito mais ágeis do que esses macacos que babam em cima das tecnologias da informação. E nossas crianças eram muito mais inteligentes. E nossas mulheres menos histéricas. E os homens menos mesquinhos.

Antes de tudo, acho a imagem da cadeia alimentar útil para entender a vida porque ela trai a verdadeira estrutura política por detrás de toda ordem política. E também porque o mundo contemporâneo é um mundo sem metafísica. Mesmo quando se faz metafísica nele, trata-se de metafísica centrada no ego, logo, uma metafísica narcisista. E tudo o que é narcisista não tem fôlego: o narcisista é alguém sem ar. Como eu dizia antes, a violência da ordem produtiva – da qual não podemos escapar porque queremos ser felizes material e espiritualmente, e o espírito custa mais caro do que a matéria – está em toda parte. Na atomização das famílias, na efemeridade dos vínculos, na infertilidade das mulheres, na covardia interesseira dos homens. Pelo fato de sermos condenados a produzir uma vida descolada da realidade material objetiva, porque nosso desejo é infinito, vivemos num mundo em que a vida como cadeia alimentar toca as estrelas. O mercado da espiritualidade contemporânea, sempre a serviço dos projetos do *self*, trai a escravidão, a vida selvagem que nos atormenta em nossos pesadelos e que faz nos sentirmos inseguros em qualquer lugar, porque sabemos que, no fundo, não valemos nada. Alguém sempre pode valer mais. Construímos um mundo muito complexo em sua organização, mas continuamos a ser o animal acuado da pré-história.

CAPÍTULO 24

O narcisismo

O conceito psicanalítico de narcisismo é largamente conhecido. Usando o mito grego de Narciso (o cara que se encanta com a própria imagem e pula na água em busca dela, se afogando), Freud descreve o que poderíamos chamar numa língua de mortais "o amor-próprio constitutivo no Eu". Freud diz que existem dois tipos de narcisismo. Um primário, normal, pelo qual todo mundo passa (a tal da célula narcísica), é aquele em que o bebê se encontra em estado indiferenciado – ele, a mãe e o mundo são a mesma coisa, cheia de prazeres e desprazeres. Em seguida, existe o secundário ou patológico. Esse é que tem interessado àqueles que estudam o comportamento contemporâneo.

O narcisismo patológico é aquele que caracteriza as pessoas que tiveram má experiência de narcisismo primário (a mãe e o mundo a sua volta não eram legais) e, portanto, quando se rompe essa célula narcísica, ele sai com baixa reserva de libido narcísica, que é aquela libido (energia psíquica positiva) que se constitui quando o bebê achava que tudo era ele e ele era tudo, numa espécie de êxtase místico selvagem. Freud chega mesmo a usar a expressão (que não era dele) "sentimento oceânico", para descrever o sentimento dos místicos, dizendo que esse sentimento não passava de breve retorno ao sentimento gostoso da célula narcísica bem-sucedida.

Uma pessoa narcísica é uma pessoa com baixíssima autoestima. Sim, vou usar narcisismo como sinônimo de autoestima para facilitar uma primeira e essencial compreensão do tema. Ninguém tem uma autoestima plena (as tais feridas narcísicas). O narcísico tem menos ainda e é um miserável afetivo. O narcísico é aquele que, quando leva um fora, desmonta mais que o normal. É o chato de quem ninguém gosta porque reclama que ninguém gosta dele o tempo todo.

Mas tem uma coisa mais importante na personalidade narcísica. Ele é incapaz de amar ou investir afetivamente no mundo; ele precisa que os outros invistam nele o tempo todo e é uma pessoa cansativa. A generosidade e a gratidão inexistem numa personalidade narcísica. Incapacidade para o vínculo afetivo abundante é a marca de uma cultura narcísica, típica do mundo contemporâneo. E será aí que surgirá o narcisismo como categoria de análise do comportamento contemporâneo. *A cultura do narcisismo*, título da obra do historiador norte-americano Christopher Lasch, de 1979, inaugurou essa análise. Mais recentemente, as obras de psicólogos como Jean M. Twenge e W. Keith Campbell (além de outras referências) retomam a categoria, aprofundando a tragédia de uma cultura ingrata e arrogante como a narcísica.

Uma cultura do narcisismo é marcada pela atomização afetiva e pela negação contínua dela – como todo sintoma psicanalítico, a cultura do narcisismo investe em afetos sociais sem ônus cotidiano, como nada de filhos, mas adoro guaranis kaiowás!

Incapacidade de exercer funções de responsabilidade direta por outros é típico do narcísico. Ao lado disso (mais um exemplo do marketing de comportamento do qual falamos antes), essa cultura precisa negar essa miséria afetiva, e nada melhor do que defender causas como economia solidária, coletivos artísticos, capitalismo social, alfaces e aborígenes. A cultura do narcisismo acaba por se constituir numa forma de contrato social com base na negação da solidão e insegurança afetiva que marca todo miserável em autoestima.

Lasch já "prevê", em 1979, a dependência para com o imaginário publicitário, o culto à celebridade (e ele nem conheceu as que estão no Facebook!), a infertilidade feminina galopante, a incapacidade de homens e mulheres se amarem e se entenderem sem guerra (termo que ele mesmo utiliza), ainda que os especialistas na miséria do amor heterossexual chamem isso de questão de gênero, a baixa realização profissional por causa de um excessivo arrivismo financeiro, a instabilidade nos vínculos, ainda que os picaretas chamem isso de flexibilidade e espontaneidade. Enfim, Lasch percebe que o capitalismo tardio e sua tendência a esfarelar tudo o que não seja produtividade e sucesso nos levariam à disfunção narcísica avassaladora.

Twenge e Campbell veem uma cultura do narcisismo já no século XXI iniciado. Expressões como *generation me* ou *living in the age of entitlement* (geração eu, ou vivendo numa era dos direitos), que também são títulos dos livros da pesquisadora Jean Twenge, descrevem esse nascisismo. Nesse cenário, os narcisistas, de alguma forma, já "tomaram o poder". As escolas no final do século XX iniciaram sua educação para o narcisismo (lembre-se do que falei antes sobre a educação saber para onde ir), "ensinando" as crianças que elas eram lindas em si mesmas e que seria necessário para o sucesso que fossem elas mesmas. Grande bobagem, não? Qualquer pessoa menos idiota que o normal sabe que ser eu mesma não é uma coisa óbvia no dia a dia e que se desfaz no primeiro momento em que nossas teorias sobre nós mesmos e os outros se chocam com a realidade dos fatos. Para um narcisista, é essencial manter o ônus dos vínculos em baixa; do contrário ele sofrerá mais que o normal. Os pais, por sua vez, aderiram ao projeto de braços abertos, tendo poucos filhos, ou nenhum, e amando golden retrievers no lugar de filhos, dizendo para eles (filhos humanos ou caninos) que eles são mais inteligentes que os outros, e que, no caso dos filhos humanos, já são conscientes do problema da sustentabilidade desde o berço. O governo, que não podia faltar, tornará lei o amor aos filhos, punindo pais que digam "não" como produtores de baixa autoestima.

O cerco se fecha, e nossos autores dirão que uma cura possível seria a experiência da gratidão. Mas gratidão é inviável num contrato social em que o direito a tudo (o tal do *entitlement*) é a base do cotidiano, porque se eu tenho direito a tudo, tudo que recebo é obrigação daquele que me dá; logo, nunca experimento a ideia de que recebo algo de alguém que seja fruto da graça do mundo.

CAPÍTULO 25

Existe um eu verdadeiro?

O eu se tornou uma das últimas utopias no mundo contemporâneo. Fracassadas as utopias institucionais históricas, o modelo *hippie* se fez tendência de marketing de comportamento. Modelo *hippie*: muito papo furado, estilo peculiar de se vestir, recusar a vida dura e ter pouco ônus nos vínculos.

Uma das chaves dessa tendência é o aparelhamento do eu como saída para a vida. Se tudo é incerto (amor, trabalho, família, saúde), que meu eu e meu corpo se tornem meu templo. Daí a pergunta: existe um eu verdadeiro, que devemos buscar como refúgio para uma vida tomada pela contingência de tudo (hoje tenho trabalho, amanhã talvez não; hoje tenho amor, amanhã talvez não; hoje tenho convite para a balada, amanhã talvez não)? Ou seja, existe um eu verdadeiro a salvo de uma vida onde nada seja garantido?

A ideia vem do Romantismo. Werther, personagem do livro de Goethe que leva seu nome, já dizia que em meio ao seu sofrimento pelo menos tinha um eu para se refugiar. Ao final, esse produto romântico se transformou num grande agente de consumo e de alienação, não porque não existamos como indivíduos psicológicos, mas porque esse eu, fruto de processos bioquímicos e elétricos, de laços sociais, históricos e políticos, de uma gama de experiências existenciais, não é um lugar a salvo de nada. A filosofia, desde o estoicismo antigo e do hedonismo grego, como vimos antes, busca tornar a vida menos dependente do meio a sua volta, reduzindo o desejo pelo mundo, o que pode soar, com razão, um tanto deprimente e repressivo do desejo pela vida. Como também já vimos antes, nossa concepção contemporânea de prazer, entendida como realização de um desejo eternamente insatisfeito, é um empecilho enorme à ideia de nos tornarmos independentes das demandas do mundo. Ao contrário, nosso eu verdadeiro se torna cada vez mais dependente do que existe a sua volta.

Por mais que a publicidade mostre homens e mulheres em cenários distantes e isolados em meio a uma natureza belíssima, essas cenas sempre são acompanhadas de produtos que são de alguma forma necessários para vivermos esses cenários, sejam carros, esportes radicais e suas ferramentas indispensáveis, sejam hotéis ou pousadas charmosas, sejam companhias aéreas, agências de turismo, ou bancos e suas linhas de crédito para qualidade de vida ou casa própria. Só um idiota fora do normal acredita que esse eu verdadeiro, produto de uma sopa química e de vínculos sociais materiais, pode se esconder do mundo, quando para estar escondido é preciso tantos objetos caros. No mínimo, o que é ainda mais ridículo, esse eu verdadeiro necessitará de terapias (que são bem caras) ou de uma loja com roupa de um estilo descolado específico que o torne "diferente" do restante dos mortais. Permanecendo o fato de que, se ele compra roupas numa loja de pessoas diferentes, um monte de outros consumidores "diferentes" como ele comprará roupas no mesmo lugar.

Enfim, não existe esse eu verdadeiro a não ser como mais um produto nas prateleiras do mundo contemporâneo, que há muito desistiu de qualquer ideia de personalidade em favor de uma ideia com menos ônus, que é a de estilo e de felicidade a todo custo.

CAPÍTULO 26

Uma cultura de direitos e não de deveres

O escritor tcheco Milan Kundera, exilado da antiga Tchecoslováquia comunista na França, comenta em um de seus livros (*A imortalidade*) que impressionava a ele a capacidade de os ocidentais acreditarem que a vida é pautada por direitos. O que ele queria dizer com isso?

Para Kundera, o europeu ocidental supunha que, se queria comida, ele tinha direito a comida. Se ele queria amor, ele tinha direito a amor. Se ele queria o sol, ele tinha direito a sol. Enfim, para esse ocidental, a sociedade era definida como um sistema que deveria produzir para ele. Ledo engano. O que Kundera percebeu é que o europeu ocidental se tornara um mimado, que acha que os direitos são algo garantido. Na vida, como já discutimos antes, nada é garantido.

O filósofo holandês Andreas Kinneging percebeu a mesma coisa que Kundera. Em sua obra *Geografia do bem e do mal*, ele identifica muito bem a psicologia presente na mente contemporânea que pressupõe ser a vida uma questão de direitos humanos ou civis adquiridos. Antes, um reparo: nem Kundera nem Kinneging nem eu somos contra direitos. Ao contrário, pensamos que, quando achamos que os direitos são naturais e gratuitos, colocamos em risco a delicada economia (e lembre o que eu disse anteriormente sobre a economia ser a ciência da escassez) que sustenta a sociedade rica ocidental, capaz de bancar esses direitos. Kundera, que vivera no regime comunista (aliás, a maior picaretagem da história, coisa que no Brasil ainda se acredita, sobretudo a comunidade acadêmica), sabia muito bem que a vida é precária e que os europeus haviam se esquecido disso, graças à grana americana jogada na Europa para impedir que a tragédia comunista engolisse a Europa inteira.

Kinneging percebe que há uma diferença psicológica entre quem pensa em termos de direitos e quem pensa em termos de dever. O mundo contemporâneo pensa em termos de direitos. Esse mundo rico, capitalista bem-sucedido, de gente jovem, saudável, narcisista, que tem poucos filhos e anda de bike. A psicologia dessa gente é: o mundo me deve. Eles operam a partir do que o outro deve prover e não do que eles devem prover. O narcisismo discutido acima é claro na mente de quem pensa em termos de direitos. Ao passo que quem pensa em termos de deveres, pensa em como fazer para que as coisas aconteçam. É evidente que um mundo não pode se sustentar em cima de uma psicologia inundada pela lógica dos direitos, porque, como se sabe há muito tempo, essa lógica é a lógica dos que não têm caráter.

Se pensarmos no que nos diz Twenge sobre a *generation me*, muitos jovens têm sido educados sob o manto de que a vida dá certo e a felicidade é um direito. O fracasso e o ressentimento seguem seu curso quando a idade chega e a realidade mostra seu enorme grau de indiferença para com todos nós.

CAPÍTULO 27

É possível um mundo em que todos são iguais? O blá-blá-blá da desigualdade social

Outra mania do mundo contemporâneo é a história da justiça social, o que hoje é chamado de o problema da desigualdade. Espanta-me como pessoas que sabem as quatro operações da aritmética podem falar que existe desigualdade social como se isso fosse um problema da realidade. Explico.

Só haverá igualdade social quando todos voltarem a ser pobres, como sempre fomos. Países como Suécia e afins só têm uma grande classe média rica porque o Estado distribuiu durante muito tempo a grana que ganhou fora da Suécia e, em lugares onde a desigualdade poderia existir.

Mesmo quando se fala que existe 1% cada vez mais rico (thomaspikketysmo), esquece-se que pouco importa se alguém tem 100 BMWs; o importante é que mais gente consiga comprar um Gol ou carro semelhante. O problema não é a desigualdade mas a pobreza, e esta só é resolvida com a sociedade de mercado, como deixa claro Harry G. Frankfurt em seu *On inequality*, de 2015. O mundo nunca foi tão rico. A causa dessa lenga-lenga de desigualdade social é porque nunca foi tão rico e agora, com a mentalidade dos direitos, as pessoas passaram a achar que riqueza é um direito.

Veja bem: o mundo é uma merda e sempre foi. Mas o capitalismo o deixou um pouco menos pior em termos materiais (e com isso me refiro, inclusive, a medicina, celulares e democracias), apesar de que continua em grande parte uma merda. Os bonitinhos que gostam de brincar de riquinhos do bem gostam de dizer que o problema é da desigualdade social.

Como diz Frankfurt, precisa-se de mais capitalismo porque é a única forma de produzir riqueza. Acontece que esse mundo da produtividade (já tivemos chance, antes, de apontar alguns de seus sintomas indesejáveis) revela o Mr. Hyde (o monstro da novela *O médico e o monstro*, de Stevenson) que existe na humanidade. Riqueza é produzida, muitas vezes, de forma não muito bela. E tenha certeza de que quem brinca de boicotar produtos chineses não precisa pagar barato pelo que compra. A única forma de ver a verdade é quando alguém deve gastar o dinheiro que não tem. Enquanto existe dinheiro, existe esperança de felicidade e marketing moral.

Apesar dessa dimensão Hyde do capitalismo, que é verdadeira, e talvez seja isso mais uma tragédia, a solidariedade nunca pagou as contas nem fez a medicina avançar, mesmo que alguns idiotas fora do normal digam que sim.

E existe mais um problema aqui: as pessoas não são iguais. A igualdade deve existir diante da lei, mas acaba aí. Algumas pessoas são mais inteligentes, mais disciplinadas, acordam mais cedo, têm mais saúde, nasceram em famílias melhores, e isso nada tem a ver com justiça social. Essa moçada da igualdade social é movida pelo velho ressentimento. Não há como zerar a contingência. Às vezes, a diferença é apenas a saúde para trabalhar mais e melhor. Ou um caráter obsessivo que torna você mais focado. Às vezes, sofre-se mais sendo competente do que um incompetente simpático que anima festas e posa de sensível. Já que não faz nada, está sempre de bom humor. E o pior é que, ao tentar negar esse fato (que alguns poucos são melhores do que muitos), o resultado será a igualdade social na mediocridade. A maior parte da humanidade sempre foi menos capaz. Isso nada tem a ver com violência ou racismo. Aristóteles já falava da grande alma, aquela com mais virtudes e com quem muitas pessoas viviam. Hoje, está na moda negar isso; a educação até mesmo agoniza sob essa ideia de igualdade. O fato de que todos devem ter direito à educação básica e saúde básica (se a sociedade for rica o bastante para gerar isso) não significa que os alunos sejam todos iguais em potencial e virtudes. Muitas vezes, a inteligência faz de você uma pessoa mais cruel, menos feliz, menos simpática. A generosidade de alma não necessariamente vem acompanhada de sofisticação do pensamento.

Enfim, a negação de que a desigualdade seja parte da sociedade de mercado, aquela mesma que produziu o menor nível de pobreza conhecido na história da humanidade (e lembre que agora somos 7 bilhões querendo ser felizes e ter direitos), é típica do mundo contemporâneo riquinho. Eis uma das maiores contradições do capitalismo: ele melhorou a vida de milhões de pessoas que agora, mimadas, dizem que todos deveriam ter direito a BMWs.

Não acredito que o capitalismo dure para sempre. Nada dura para sempre. Daqui a mil anos, talvez num mundo mais pobre, se fale de uma época de leite e mel no passado em que as pessoas tinham tudo o que queriam, mas a ganância destruiu esse mundo. Eu suspeito que quem terá destruído esse mundo (visto como um paraíso por um futuro mais pobre) será a cultura dos direitos, que nos torna incapazes de acordar cedo e enfrentar o fato de que a vida não tem garantias. Quem sabe voltemos aos pecados capitais (e percebamos que um dos problemas sociais de hoje seja a preguiça travestida de crítica social) porque eles permanecem mais contemporâneos do que fetiches como luta de classes.

CAPÍTULO 28

O mundo está ficando mais desumanizado? Culpa da mania de perfeição

Na segunda metade do século XIII, na França, um grupo de filósofos conhecidos como averroístas latinos (porque sendo cristãos latinos, leitores de Aristóteles e seu comentador espanhol mouro Averróes receberam o nome de averroístas latinos). Esses autores tiveram muita dor de cabeça com a Inquisição porque afirmavam que a felicidade (entendida como vida equilibrada e longe de vícios) podia ser atingida via uso do intelecto (algo próximo ao que hoje chamaríamos de razão). Nesse sentido, seguiam a filosofia tanto de Aristóteles quanto de seu comentador muçulmano Averróes. O conflito veio porque, para a teologia da Sorbonne (leia-se, da Igreja), a felicidade era muito mais dependente do conhecimento revelado (teologia, Bíblia, magistério da Igreja) do que da filosofia, compreendida como uma atividade um tanto livre de dogmas. Esses filósofos (o mais famoso deles, o médico Siger de Brabant, membro de uma importante família de uma região que hoje é parte da Bélgica e leva o mesmo nome, Brabant) tiveram de sair da Sorbonne e muitos (Siger, entre eles) fugir de Paris. Essa é a primeira vez na história que se conhece uma perseguição a intelectuais pela Igreja.

Alguns montaram grupos de estudo de Aristóteles e Averróes nas pequenas ruas ao redor da Sorbonne, e, então, aquela região ficou conhecida como *quartier latin*, por causa desses averroístas latinos e não por causa do exilados latino-americanos dos anos 1960 – quiseram eles ter essa importância toda na vida de Paris.

O foco filosófico do problema, porém, era: o homem, pelo uso livre da razão, pode construir sua felicidade e atingir um grau maior de perfectibilidade (tornar-se cada vez melhor)? Os averroístas latinos achavam que sim, os católicos (que liam Aristóteles também, mas davam uma aliviada na autonomia da razão humana sem a graça de Deus) achavam que não. No século XIII, os católicos levaram a melhor de certa forma, pelo menos no que se refere ao emprego da universidade – até hoje, a universidade é muito mais uma questão de quem consegue botar para fora seu inimigo do que quem pesquisa mais. Mas isso é outra história.

Já nos séculos XVI e XVII na França, a coisa virou. A tendência, inclusive por causa do esfacelamento feudal e da entrada da burguesia e sua busca de sucesso e aperfeiçoamento nos negócios, foi a virada do jogo. Já no século XVIII, a ideia de perfectibilidade do homem a partir do uso de sua razão, técnica e ciência estava instalada, como todo mundo sabe quando estuda o Iluminismo e o surgimento da ciência.

A verdade é que uma das razões da desumanização, de que pouca gente se dá conta, é essa busca de perfectibilidade contínua da vida em todas as frentes. Inteligentinhos de todos os tipos berram contra a mercantilização das relações, que é verdade e faz mal mesmo, contra as máquinas, contra o capital, contra a Igreja, mas não querem perceber que a principal causa da desumanização moderna é a busca de perfeição, aperfeiçoamento, perfectibilidade ou progresso (tudo mais ou menos a mesma coisa).

Os medievais entendiam que o homem tem um dano em sua estrutura, que é o pecado. Com a superação dessa teoria (o livro de Pico della Mirandola *Discurso sobre a dignidade do homem*, de 1498, é um marco na virada desse debate) pelos defensores da perfectibilidade moral e técnica do homem, entraremos na era em que muitos supõem que é o próprio homem quem atrapalha seu aperfeiçoamento, na medida em que é de carne e osso e que tem paixões desorganizadoras. Vivemos numa era eugênica: todos querem ser belos, saudáveis, eternos, bem resolvidos e cheios de técnica. O pós-humanismo (não vou discutir essa teoria louca aqui) crê que numa mescla com a robótica vamos superar esse corpo miserável. A moçada do marketing moral acha que com a educação e a propaganda podemos criar um mundo em que todos sejam homens, mulheres e labradores ao mesmo tempo, e que ninguém tenha ciúme ou vontade de comer picanha. Como não ver que a fúria pelo progresso contínuo chegará à conclusão de que é o humano no homem que nos atrapalha?

Isso jamais será dito de forma clara porque somos a civilização mais hipócrita que já existiu, mas a principal causa da desumanização que enfrentaremos no futuro será aquela em nome do bem e da qualidade de vida. Mas, enquanto isso estiver acontecendo, os bancos farão comerciais de como lagos e montanhas são lindos e bons para a saúde e o equilíbrio dos casais, sejam eles héteros ou homos.

CAPÍTULO 29

É bom viver tanto tempo assim? Os traumas da longevidade

Falávamos de progresso e perfectibilidade há pouco. Um caso particular desse progresso é a longevidade. O homem nunca viveu tanto tempo. Uma das coisas mais certas que podemos ter em mente é que, salvo suicidas ou melancólicos profundos, todo mundo faz qualquer negócio para viver mais. Mesmo os que se dizem espiritualizados. Aliás, essa é uma das razões pelas quais quase 101% das pessoas colaboram com regimes assassinos: garantir a vida e garantir o jantar, apesar de posarem de resistentes, como muitos desses franceses que fugiram da França após a queda dos nazistas em Paris e agora posam de heróis da resistência em terras tupiniquins para inteligentinhos mal informados.

Então, a história provou que a ciência estava certa, que Francis Bacon (séculos XVI e XVII) tinha razão, e que, se parássemos de perguntar coisas escolásticas (tipo de filosofia do final da Idade Média que terminou seus dias se perguntando coisas como: "Deus pode criar uma pedra que Ele mesmo não pode carregar?", ou seja, em bom português, *bullshit*), inúteis, e atássemos a natureza em laboratórios, conseguiríamos inventar aviões, antibióticos e nanotecnologia. Deu certo. Como na vida real inventam-se soluções para problemas que criam novos problemas, com a medicina moderna descobrimos que os idosos não servem para muita coisa, ainda mais quando são muitos e pobres (já falamos disso antes).

No mundo contemporâneo, as coisas só funcionam quando viram nicho de mercado – veja a revolução gay, fruto da publicidade norte-americana que descobriu que eles eram um nicho de gente com grana, bem preparada e sem filhos (héteros são pobres porque têm filhos...), e que, portanto, deveriam ser respeitados porque compram. Quando idosos conseguem se impor como consumidores, aí ficam bonitinhos; afora isso, só quando alguém precisar dar um toque de tradição para uma marca de café...

Eis que a longevidade está aí. Vive-se muito, e uma das primeiras coisas que os governos têm de fazer é adiar a aposentadoria, porque ao lado da longevidade está a infertilidade das mulheres seculares, o que gera o famoso problema da previdência: não tem jovem bastante para bancar tanto idoso querendo ser feliz. Afora essa questão de gestão, a longevidade cria outros traumas. Como os vínculos são cada vez mais efêmeros entre as pessoas, e a atomização é crescente (já vimos isso), a tendência é a solidão ser a outra face da longevidade. Pessoas vegetam em suas casas, quando têm casas, ou abrem-se novas casas de repouso. Claro, existe até uma nova ciência: gerontologia.

Nunca estivemos tão longe do valor dos idosos (*gerontes* em grego); ao contrário, os jovens, com sua inexperiência, arrogância (coitados, culpa dos pais, professores e jornalistas que ficam babando em cima deles) e seu conhecimento de iPhone, são a referência dos mais velhos. O mais ridículo é que, ao lado da longevidade técnica alcançada, foi o apodrecimento, e não o amadurecimento, que se instalou como marca do envelhecimento no mundo contemporâneo (claro, mente-se sobre isso com o papinho de melhor idade). Não se amadurece, perde-se o prazo de validade, mesmo com (alguma) saúde. Longevos correm o risco de um dia parecerem um bando de zumbis, sem lugar num mundo em que, ao mesmo tempo que você pode viver noventa anos com (alguma) saúde, você já começa a envelhecer aos 25, desesperado por causa do colesterol, da estria e das rugas.

CAPÍTULO 30

O silêncio do mundo

O pior dos problemas: o que fazer com tanta gente feliz junta? No filme *Interestelar*, num dado momento, o personagem principal (interpretado por Matthew McConaughey) pergunta a seu sogro o porquê de o mundo ter se transformado naquilo (aridez, pobreza, poluição, retração econômica, ruralização). O sogro responde que 6 bilhões de pessoas querendo ser felizes não podia dar em outra coisa.

Não quero falar só do tema já desgastado da sustentabilidade. É o desejo humano que é insustentável. A felicidade vai destruir o mundo. Uma humanidade de 6 ou 7 bilhões de pessoas felizes será a maior praga que já caminhou sobre o mundo. Nenhuma das sete pragas sobre o Egito teve esse poder dissolutivo. Como numa espécie de alucinação, marchamos sempre em frente, supondo que a felicidade, entendida como realização de nossos desejos individuais (como dissemos no momento em que discutíamos o hedonismo contemporâneo), seja sustentável.

Uma das principais indagações acerca do futuro da felicidade humana vem do evolucionismo (entre outras frentes possíveis): será que uma espécie que não evoluiu num ambiente de felicidade como realização do desejo individual suporta essa guinada em direção ao átomo moral que é o sujeito?

Nossa evolução se deu num ambiente de deveres e não de direitos. O próprio sucesso do capitalismo aconteceu graças à moral dos deveres e não dos direitos. A felicidade do indivíduo nunca foi critério para a sobrevivência da espécie. O bando original, cuja última representação é a família, também em processo de dissolução, deixou de ser a referência. A nova referência é o sujeito e seus gostos. Nada garante que nossa espécie esteja adaptada à obsessão pela felicidade individual.

Quando me perguntam por que eu pareço desprezar a minha época, lembro a conversa do personagem romântico interpretado por Tom Cruise no filme *O último samurai*. O coronel, detestado pelo capitão Nathan Algren (Tom Cruise), pergunta a razão de ele desprezar tanto seu próprio povo (no caso, a civilização violentamente moderna e mercantilista dos EUA). Eu não tenho nenhuma dúvida sobre a potência do capitalismo em produzir felicidade e qualidade de vida material na grandeza que produz. Nenhum outro sistema conseguiu fazer isso. Minha dúvida é se nossa espécie suporta tanta felicidade sem se tornar uma espécie irrelevante. Espécie recém-chegada ao mundo, imagino, seguindo os passos do filósofo inglês John Gray em seu *The silence of animals*, de 2013, que os outros animais nos contemplam do alto de seus milhares e milhares de anos de adaptação a este mundo. Como diz Gray, antes de nós, a inquietação constante dos neandertais deve ter sido objeto de ceticismo por parte do silêncio desse mesmo mundo.

Acreditamos
nos livros

Este livro foi composto em Adobe Garamond Pro e
Bliss Pro e impresso pela Gráfica Santa Marta para a
Editora Planeta do Brasil em abril de 2019.